Le ventre des lucioles

DU MÊME AUTEUR,
AUX ÉDITIONS J'AI LU

La voyageuse, *J'ai lu* 5705
Petits meurtres entre femmes, *J'ai lu* 5986
Et le désert..., *J'ai lu* 6137
Le septième cercle, *Librio* 312
La dormeuse en rouge, *Librio* 550

AUX ÉDITIONS DU MASQUE

La Bostonienne
Elle qui chante quand la mort vient
La femelle de l'espèce
La parabole du tueur
Le sacrifice du papillon
Dans l'œil de l'ange
Autopsie d'un petit singe
De l'autre, le chasseur
La raison des femmes

Andrea H. Japp

Le ventre des lucioles

Pour Viviane M., Joanne D., et Hanna M.-A.
Île minuscule portée par des vagues amies.

CAMPAGNE FRANÇAISE, ENTRE LYON ET CHAMBÉRY, 24 SEPTEMBRE.

— Tu es vraiment sûr de savoir te servir de cet engin ?

Frédéric prit l'air vachard, et déclara d'une voix grave qui rappelait un mauvais doublage de film noir des années 40 :

— T'inquiète pas, poulette. Laisse faire le mec !

Nathalie répondit, hilare :

— Ben si, justement, je m'inquiète un peu ! Je te rappelle que tu sais à peine enfoncer un clou sans te pulvériser une phalange. Et ce truc m'a l'air un peu plus compliqué qu'un marteau.

Frédéric abandonna sa parodie de détective revenu de tout et soupira :

— Vous avez le chic, vous les filles, pour couper l'herbe sous le pied d'un pionnier !

— « Pionnier » ? Tu l'écris comment ?

— Ah qu'elle est marrante, ma femme. C'est pour cela que je l'ai épousée, d'ailleurs. Pour ça et ses inépuisables versions de recettes de « coquillettes sur leur petit lit de concentré de tomate en boîte ».

Frédéric coupa le contact de la mini-pelleteuse et descendit de l'habitacle. Il se rua sur Nathalie qui couina en fermant les yeux, lui fit perdre l'équilibre d'un ciseau de jambes avant de lui arracher sa casquette de base-ball « jaune-vomi de rat » comme elle disait, et de lui écraser le nez d'un gros baiser.

Ils étaient mariés depuis deux ans. Frédéric s'était résolu à cette union pour tant de bonnes raisons qu'il avait été certain à l'époque qu'elle ne durerait pas plus de quelques mois. Faux, si faux. Mais Sabine lui avait passé le cœur à tabac. Elle l'avait lourdé du jour au lendemain, et le pénible et brutal sevrage de cette addiction s'était prolongé durant d'interminables mois. Sabine, ce corps presque parfait dont aucune frénésie, aucun abus ne le rassasiait, l'insupportable versatilité de ce mirage finalement pas très intelligent. Mais il fallait en sortir pour s'en rendre compte. Il avait d'abord sélectionné Nathalie comme on repère un antidote. Elle était aussi vitale que Sabine avait été délétère, joyeuse de rien quand tout ennuyait l'élégante boudeuse. Sans rien savoir de cette ombre qui pistait son mari dans chaque souvenir et chaque silence, elle avait fait exploser à nouveau la lumière dans la vie de Frédéric. Et c'est si époustouflant la lumière lorsqu'on la retrouve enfin, comme ça, au détour d'un rire, d'un baiser.

Il faisait lourd, presque orageux. Un désir paresseux, ce désir de soleil et de moiteur, le rendit soudain sérieux.

— Oh non, que nenni mon doux seigneur ! Tu ne touches pas au soutien-gorge de la dame. Tu enlèves les mains de là-dedans et tout de suite. Allez, ouste !

Elle gigota pour se dégager et se releva ébouriffée, la mine faussement belliqueuse. Craquante, elle était vraiment craquante. Putain d'excavation ! Il bougonna :

— Oh, cinq minutes quoi !

— Des clous ! Ça va nous bousiller tout l'après-midi, comme hier et avant-hier et le trou n'avancera jamais, et pas de piscine avant l'année prochaine.

Elle lui lança un regard torride assorti d'une petite moue coquine et ajouta :

— Alors que si tu es gentil... Enfin, tu vois, le repos du pionnier, quoi... Mais mérité le repos !

Dépité, il répliqua :

— Tu te rends compte, bien sûr, que c'est un chantage. Tu es prête à offrir ton corps en échange de coups de pelleteuse.

Elle le fixa, l'œil rond, la tête inclinée et déclara :

— Oui, c'est très laid et j'ai honte. Oh, que j'ai honte ! Mais d'une part, j'offre mon corps à mon mari et d'autre part, comme tout chantage bien pensé, c'est efficace !

— Bon, je n'ai pas le choix, c'est ça ?

— Gagné !

Frédéric tergiversa encore un peu, juste histoire d'avoir le dernier mot :

— Enfin, si j'avais su qu'il y aurait tant de boulot lorsqu'on a acheté cette maison...

— Tu le savais, mon chéri, nous avons dressé tous les plans durant des semaines. Mais elle est si belle. Et tu verras, quand les travaux seront un peu avancés, ce sera un paradis. Des bébés, des animaux, des amis, des fleurs partout !

Il rebroussa chemin et la serra contre lui.

— Je t'aime, tu sais ?

— Je sais, je t'aime et tu le sais.

Ils avaient signé la promesse de vente de la maison l'hiver dernier mais n'avaient déménagé qu'à l'été. L'immense ferme était prolongée de dépendances que le rêve de Nathalie avait déjà consacrées : salle de billard, salle de vidéo-projection, maison d'amis. Et bien sûr la piscine ! Elle avait arpenté le grand terrain durant des heures, s'arrêtant parfois pour évaluer une pente, un bosquet et enfin s'était décidée pour cet emplacement. Parfait, presque plat, protégé des regards par une haie de noisetiers, pas trop éloigné de la maison. Les devis s'étaient entassés et ils n'avaient conservé que ceux qui permettraient à cette vaste bâtisse de devenir très rapidement re-habitable puisqu'elle était à l'abandon depuis plus de trois ans. Dans un grand moment de bien-être et surtout d'optimisme, Frédéric avait décidé qu'ils se débrouilleraient pour les autres travaux, dont l'excavation nécessaire à la pose du bassin de la piscine.

À bout d'arguments, il haussa les épaules et annonça :

— Bon, ben j'y vais, quoi !

— C'est ça mon chéri. Je te guide. Tu es sûr que tu sais manier cet engin ?

— Tu rigoles, cocotte ! J'ai vu *Aliens*, le deuxième, quinze fois, au moins. Je vais faire tout comme Sigourney. Clac, bing avec la manette et en voiture Simone ! Bon, sa machine à elle était vachement plus grosse, mais c'est normal, elle est plus baraquée que moi. Faut commencer humble.

Nathalie était un peu inquiète. Et si ce truc, qui n'avait pas l'air trop stable, piquait du nez ? Après quelques démarrages infructueux, quelques coups de pelle ineptes, Frédéric hurla « qu'il trouvait son rythme ». Au bout d'une demi-heure, il avait l'air de s'amuser comme un petit fou, et ponctuait chaque nouvelle morsure des grosses dents d'acier dans la terre d'un : « *Revenge, revenge !* »

Les mottes d'humus mêlées de racines arrachées et de pierres crayeuses s'amoncelaient, bordant le périmètre de la fosse d'étranges boutonnières. Nathalie les aplatissait pour qu'elles ne retombent pas dans le trou. Soudain, l'arrêt du vacarme la surprit.

— Il y a un problème ?
— Ouais. Merde, je crois que je suis tombé sur un squelette de chat. Regarde, ces trucs blanchâtres, coincés entre les deux dents, on dirait une cage thoracique d'animal. Dur. Bon, je descends.
— Non, j'y vais.
Il la vit se rapprocher de la pelle, puis reculer, s'avancer vers le bord de l'excavation. Elle tourna la tête vers lui, bouche ouverte, livide, et tomba à genoux, les mains couvrant sa tête. Et puis soudain, le hurlement de sa femme, un hurlement qui arrachait l'air, lui pulvérisa les tympans.
Frédéric se précipita et pila à ses côtés :
— Oh putain… Oh putain de merde !
Des crânes humains, si petits, des squelettes minuscules, plusieurs, peut-être une dizaine, jetés les uns sur les autres, démembrés sans doute par les coups de pelleteuse.
Un charnier de bébés.

PARIS, FRANCE, 12 FÉVRIER.

Une neige molle et hésitante flottait autour des piliers de la tour Eiffel. Dans quelques minutes, l'étrange métaphore d'acier s'allumerait, et des gerbes d'étincelles la prendraient d'assaut jusqu'au jour. Le Danseur avait toujours beaucoup aimé cet audacieux squelette de métal, une des traces évidentes du génie de quelques-uns. Le génie se conçoit-il sans démesure ? Que reste-t-il de l'Homme-poussière, hormis les preuves de sa mégalomanie, les pyramides, le temple d'Apollon, Versailles, et le reste ? Et cette mégalomanie n'est-elle pas d'essence divine ? Forcer son âme, brutaliser son esprit, hérisser ses muscles, pour aller toujours plus loin, plus haut, se défaire de l'inertie de la peur, de l'affliction de la modestie.

Le grand appartement dont les larges baies vitrées ouvraient sur la Seine était glacial, mais il n'avait pas souhaité allumer le chauffage. Des draps blancs recouvraient le piano et les fauteuils, linceuls de son ancienne vie, sa vie d'avant rythmée par le rire en cascade de sa mère, par ses emportements, ses merveilleux caprices. Toutes ces dernières années, il s'était accroché à ces souvenirs, se les racontant jusqu'au sommeil afin de ne jamais les oublier, jamais les mélanger. Elle portait ce parfum très lourd, à base de tubéreuse. Et ce mot à lui seul recelait de bouleversants mystères.

Le froid humide crispait ses muscles, et la sensation était agréable. Il appliqua la membrane verdâtre du stéthoscope sous son sein gauche et patienta. Un son puissant et lent, le courant poisseux qui dévale sans heurt à l'intérieur du ventricule. Une crispation comme une déflagration, le bruit du sang expulsé. Le muscle se détend un court moment, attend qu'un autre flot rouge l'inonde. Dans quelques minutes, il s'affolerait, tentant de prendre de vitesse l'anoxie que l'effort engendrait. Dans quelques minutes, il faudrait se souvenir de la perfection de ce pouls si lent parce que ses veines se dilateraient à l'extrême, déformées par l'affût désordonné de ses globules rouges. Il sourit d'impatience. Dans quelques minutes, il verrait le réseau presque vert saillir le long de son cou, courir autour de ses avant-bras comme un splendide filet. Alors son pouls résonnerait jusque dans sa gorge, cognerait dans sa tête.

Il se leva et quelques flexions des jambes le divertirent. Il était temps de rejoindre le haut, temps d'épuiser ce corps presque parfait qu'il construisait depuis des années. Parfois, lorsqu'il courait, comme cet après-midi, il avait la sensation de voler à quelques centimètres des pavés. S'affranchir de la gravité. Mais l'euphorie retombait trop vite et il rejoignait le pas des autres.

Un talon dans la paume, il tendit la jambe latéralement et bascula sur le côté selon un arc parfait. Le long miroir devant lequel il travaillait lui renvoya l'image d'une flèche. Son corps devenait flèche. Comme celui de sa mère. Aurait-elle fait mieux ?

Sans doute. C'est du moins ce que prétendaient tous ces gens qui pleuraient d'extase lorsqu'elle se cassait.

Un soupir d'exaspération. Trop tôt. Quelque chose n'allait pas. La grande glace témoignait d'une parcelle de laideur. Il leva les mains vers son regard. Comment allait-il enlever ce bourrelet de sang coagulé qui bordait ses ongles ? Il aurait dû mettre des gants. Mais il aimait tant la tiédeur poisseuse du flot rouge qui s'échappait des larges plaies comme une vague paresseuse. Et puis le sang coagulait, épousant le moindre sillon de peau, tirant légèrement l'épiderme comme une laque qui se rétracterait un peu. On pouvait le gratter ensuite, et la vie de l'autre s'en allait de ses mains en fines paillettes brun-rouge.

Demain, il rentrerait. Rentrer ? Il n'était de nulle part, du moins avait-il oublié d'où. Disons qu'il rejoindrait ses quatre amours qui devaient s'inquiéter, l'attendre. Il ferma les yeux et sourit de bonheur en imaginant les minuscules doigts de pied, tendus pour une pointe délicate. La courbe d'une épaule d'enfant que prolonge un bras, et puis une main dont le pouce se dissimule, car rien n'est plus disgracieux que ce pouce, hérité des reptiles.

BASE MILITAIRE DE QUANTICO, FBI, VIRGINIE, 14 FÉVRIER.

James Irwin Cagney ôta ses lunettes, une piètre technique pour repousser transitoirement la réalité. Les contours de Richard Ringwood se dissocièrent jusqu'à doter sa silhouette d'une sorte d'aura. L'astigmatisme rendait le laisser-aller vestimentaire de son adjoint à peu près tolérable. Ringwood, depuis qu'il suivait son régime et son végétarisme comme on observe une pénitence, flottait dans ses pantalons et ses chemises achetés par lots chez les soldeurs. Lorsque Cagney, agacé par sa manie de remonter sa ceinture à deux mains en gonflant les joues, lui en avait fait la remarque, Ringwood avait répondu avec un pragmatisme avaricieux :

— Ben, si je perds encore deux ou trois kilos, c'est pas la peine que j'investisse dans une nouvelle garde-robe !

— Je ne pense pas qu'un pantalon et trois chemises vous ruinent, Ringwood.

— Non, mais ce sont des dépenses superflues.

Cagney chaussa à nouveau ses lunettes, l'inélégance de Ringwood étant encore préférable à son angélisme optique.

— Qu'y a-t-il, Richard ?

— On se demandait, enfin, Lionel et moi, quand aurait lieu l'audition de Mrs Parker-Simmons dans le cadre du procès de Cindy-Laura Owens-Robertson[1] ?

— Sous peu, je suppose.

— Elle sera entendue comme témoin, expert ou...

— Ou ? Complice de meurtre, voulez-vous dire ?

— C'est une possibilité, non ?

— En effet. En ce cas, Glover, vous et moi serons cités comme témoins à charge.

Ringwood remonta sa ceinture en baissant les yeux et déclara d'un ton presque agressif :

— Témoins à charge ? Mais ni Lionel ni moi ne savons rien de l'implication ou de la non-implication de Mrs Parker-Simmons dans le meurtre de Charles Owens. Du reste, à notre connaissance, ses services n'avaient pas été requis par le Bureau pour cette enquête.

— Vous avez pénétré dans son ordinateur grâce à moi. Nous savons tous les trois qu'elle connaissait l'identité des deux meurtrières, et qu'elle s'est tue pour leur donner le temps d'abattre le dernier de la liste : Charles Owens, le mari de Cindy Robertson. En d'autres termes, au regard de la loi, le silence de Mrs Parker-Simmons équivaut à une complicité de meurtre. Prétendre le contraire devant la cour serait un parjure et, s'il est démontré, la fin brutale de votre carrière, de la nôtre devrais-je dire, et sans aucun avantage social.

Une rage désespérée fit taire Cagney. Comment avait-elle pu ? Gloria, non, pas Gloria, le cerveau de

1. *La Raison des femmes*, Le Masque, 1999.

Gloria. Cette entité dont il se demandait parfois si elle ne devenait pas une gigantesque tumeur digérant la légère ombre blonde aux yeux lavande. Parce que son génie mathématique lui permettait toutes les ouvertures, toutes les extrapolations, elle était parvenue avant eux, le FBI, à cerner la personnalité puis l'identité de ce couple mère-fille dont l'existence ne tenait plus qu'à une liste. Une liste d'exécutions. Une liste de violeurs s'accrochant à une pâle excuse: une soirée de beuverie entre copains de bordée. Laura, l'enfant bulle, l'à peine jeune fille, dont Cindy, la mère, et Belle, la grand-mère, étaient parvenues à aménager l'autisme jusqu'à le rendre moins inhabitable, avait sauté par la fenêtre, s'écrasant quelques mètres plus bas sur le capot d'une voiture. Tous, elles les avaient déjà tous assassinés, sauf un, lorsque Gloria avait compris, avait su. Mais elle s'était tue, parce que Laura devenait une autre Clare, son bébé à elle, son unique besoin. Gloria ne parvenait plus à démêler sa vie de celle de Cindy, la mère de Laura. Leurs passés s'étaient noués, et cette fusion silencieuse qui s'opérait à des milliers de kilomètres par l'intermédiaire d'un ordinateur, à des années de distance, paniquait Cagney. Cette tribu de femmes qui obéissaient aux mêmes lois tacites, animales, qui convergeaient pour entourer l'enfant de leur férocité, le bouleversait dans une alternance de rage, de rancœur et d'amour. Quoi, Gloria que n'intéressait la vie de personne, Gloria dont l'univers s'était concentré sur sa fille handicapée mentale, Gloria, qu'il avait tant souffert à approcher, parvenait à se diluer dans une inconnue? Que faisait-elle de lui, dont elle avait court-circuité la petite mort, de cette promesse de bébé qu'elle supportait presque, enfin?

Ringwood le ramena à une réalité acceptable. Il creusa ses joues et rétorqua d'un ton peiné:

— C'est mal, très mal. On sait. Il faut vous dire qu'hier, avec Glover, on s'est livrés à un petit *brainstorming* assez arrosé. La colonne des « plus » *versus* celle des « moins », vous voyez ? Il m'a invité chez lui, à Fredericksburgh, pas très loin de chez vous, d'ailleurs. Pas mal. Un peu austère, dépouillé même, mais pas mal, élégant dans le genre minimaliste. Il m'a fait goûter un truc génial, qui torpille. Du rhum arrangé. Alors c'est du rhum blanc, béton. On colle dedans des petites herbes, des tranches d'orange confites, des grains de café, de l'anis étoilé, et puis des épices, et au bout de quelques mois, ça donne un truc super. En fait, Lionel, lui, est afro-américain. Ça, c'est une boisson typique des îles, et… Enfin, bref, au bout du cinquième, Mrs GPS, pour Gloria Parker-Simmons – c'est plus court dans une colonne –, se baladait d'un bout à l'autre de la feuille sans qu'on comprenne très bien comment. Quand même, on est arrivés à une conclusion futée. Surtout le petit… Enfin, je veux dire Glover. Mais je l'ai beaucoup aidé. Finalement et tout bien considéré, monsieur, si on n'était pas en termes cordiaux, allez, même amicaux, avec vous, on n'aurait jamais su que GPS s'intéressait à cette enquête. Si vous n'aviez pas joué cartes sur table, je n'aurais pas pu pénétrer dans son ordinateur, et alors, tintin pour déduire qu'elle connaissait l'identité des tueuses. Glover et moi sommes donc parvenus à la conviction que c'est contre notre amitié, notre honneur – c'est un bien grand mot, je sais, mais on était bourrés –, que nous témoignerions, et cela, voyez-vous, monsieur, c'est encore plus moche qu'un parjure, la trahison d'un ami.

Comment parvenait-il à sortir des phrases comme celle-ci avec sa face de pitre amaigri ? Cagney serra les maxillaires pour se défendre contre la bouffée de… de quoi, d'émotion, de reconnaissance, d'amitié, de soulagement ? Il inspira pour retrouver la maîtrise de son débit :

— Je... Je ne sais pas quoi vous dire, Richard. D'ailleurs, Glover devrait être présent, lui aussi.

— Veut pas.

— Pardon ?

— Non, il veut pas. Je suis mandaté.

— Pour quelle raison ?

— Il dit que les trucs trop émotionnels l'épuisent et que dans ce chapitre, il a assez sur les bras avec la petite dame flic de Boston.

— Parce que moi, je m'y sens comme un poisson dans l'eau, Ringwood ?

— Je ne sais pas, monsieur. Bon, on ne va pas passer le réveillon là-dessus. Notre position est claire. Nous ne savons rien. Quant à moi, pirater l'ordinateur d'un civil sans mandat du juge, vous plaisantez ! À vous de voir ce que racontera Mrs GPS... Ou même si elle sera citée à comparaître.

Ringwood se dirigea vers la porte, mais la voix de Cagney le fit se retourner.

— Elle détesterait que vous l'appeliez Mrs GPS.

— Je sais, c'est pour cela que ça m'amuse.

— Ringwood, merci, à vous et à Glover. Vraiment.

Richard Ringwood le fixa quelques instants, et un sourire défait lui fit fermer les yeux :

— Non, merci à vous. Pour toutes ces vacheries méritées, ces sarcasmes, ces gestes amis aussi. Mais ce serait trop long. Et puis ma femme répétait que notre gros problème à nous les mecs, c'est qu'on est infoutus de dire les choses importantes lorsqu'elles deviennent sentimentales. Merde, quoi, on n'est pas des pédés !

Quelques années plus tôt, il aurait lâché cela comme une insulte. Maintenant, il s'en voulait juste de ne pas se conduire comme l'aurait souhaité une femme, sa femme. Cagney songea que son couple inversé avec Gloria lui avait rendu quelques mots nécessaires. Il devait les prononcer puisqu'elle ne le ferait pas, n'irait pas au-devant de sa difficulté à exprimer. Il apprenait à dire.

Brusquement, la certitude s'imposa. Lui aussi allait mentir et se parjurer, et lui n'avait aucune excuse, et il s'en foutait. Ce qui lui était apparu depuis plusieurs jours comme une monstrueuse mécanique devenait d'une simplicité étourdissante. En plus de trente ans de carrière, pas une fois il n'avait hésité à se risquer pour protéger l'extérieur, pas une fois il n'avait connu le trouble des conflits de conscience, pas une fois il n'avait menti ou triché. L'idée de déroger à cette rigidité finalement confortable lui avait semblé dévastatrice durant des jours. Et soudain, tout devenait simple. Si et si, et si. Si Gloria avait parlé dès qu'elle avait su, Charles Owens aurait-il été épargné ? Les flics du Boston Police Department seraient-ils arrivés à temps ? Allait-il risquer la chose la plus importante de sa vie sur un pari statistique comme les aimait tant Gloria ? La réponse était évidente : non.

Restait à la convaincre. Elle pouvait mentir avec brio si son cerveau lui indiquait qu'il s'agissait de la « solution préférable ». Mais, en ce cas, le lui indiquerait-il ? N'allait-elle pas vouloir transformer cette audition en démonstration ? Leur balancer à tous au visage ce que c'est d'être violée, d'être une presque enfant dont le ventre est disponible pour qui le forcera ou se le payera ? Clare. Se servir de Clare. Indigne sans doute, mais si efficace. La seule faille de Gloria, sa fille. Son unique futur durant toutes ces années, sa seule force infinie, mais son absolue terreur.

L'idée lui fit remonter la salive dans la bouche. Merde, et lui qui était-il ? Un échec. Un échec puisqu'il admettait que la vie de Gloria se résumait à

Clare. Il devait la convaincre de l'absurdité de cette équation : Clare vit donc Gloria vit. Clare meurt donc Gloria meurt. Mais pas maintenant, plus tard. Pour l'instant l'équation lui rendait service, et il allait l'utiliser.

INSTITUT MÉDICO-LÉGAL, PARIS, FRANCE, 14 FÉVRIER.

— Mon père ?

Le vieil homme maigre en soutane leva un regard d'un bleu presque blanc vers la femme qui se tenait debout devant lui, et lui sourit. Il se leva. Il était très grand, étonnamment droit.

— Le docteur Lemaire vous attend dans son bureau.

La jeune femme le précéda dans un couloir baigné du halo jaune sécrété par les plafonniers qui pointillaient le plafond en ordre militaire. Elle le fit pénétrer dans une petite pièce surchauffée et si encombrée que l'abbé Henri eut du mal à repérer l'homme enfoui derrière des piles de dossiers. Il avait l'air fatigué, mais le visage poupin s'illuminait d'un sourire enfantin. Il s'arracha de son fauteuil dans un souffle et tendit la main vers l'abbé.

— Installez-vous, mon père. Je vous sers un café ? Il sent un peu le réchauffé mais il est encore tiède.

— Volontiers, merci. Avec du sucre, deux morceaux, s'il vous plaît. Vous avez terminé avec les petits ?

Le légiste répondit en soupirant :

— Oui. Égorgés, tous les deux. Des plaies très similaires. Courtes mais profondes. C'est assez peu commun, cette précision. L'exsanguination est la cause de la mort. La jeune fille avait été pas mal cognée *ante mortem*. Pouvez-vous me rappeler comment et où vous les avez trouvés ? Ça m'évitera de poireauter en attendant le rapport officiel.

— Quai de la Mégisserie, en bas, à quelques mètres de la Seine. Elle était assise, le dos appuyé à l'un des piliers du pont. La tête du petit garçon reposait sur ses genoux.

— Ils devaient y être depuis environ deux jours, selon moi. Ce qui est certain, c'est que la *rigor mortis* avait disparu. En d'autres termes, et en prenant en compte la relative douceur des derniers jours, elle était morte depuis plus de trente-six heures, c'est en accord avec sa température rectale, inférieure à 10 °C. Même chose pour le garçonnet. Personne ne s'est approché parce qu'on a sans doute cru qu'ils rêvassaient en regardant le fleuve. De toute façon, tout le monde s'en fout. Vous faites des rondes dans le coin ?

— Oh, nous sillonnons tout Paris, la nuit surtout. Mais nous ne sommes pas très nombreux. C'est un coin « favorable », si je puis dire. Peu de monde la nuit, les gens ont peur, sauf, bien sûr, ceux qui cherchent quelque chose de précis.

— De la came ? On a déjà envoyé la toxico au labo.

— Entre autres.

Le prêtre sembla réfléchir puis déclara dans un murmure :

— Selon vous, ils ont été assassinés là-bas ?

— Non. Le devant de sa robe était imbibé de sang ainsi que son manteau et les vêtements du gamin, mais d'après ce que j'en sais, on n'a rien trouvé autour d'eux. L'hypostase est distribuée de façon cohérente.

Je veux dire que les fameuses lividités sont bien présentes aux fesses et en haut des épaules de la jeune fille, et sur le flanc et la joue du garçonnet. Elle était assise et adossée, ce qui a repoussé le sang vers les tissus voisins, quant à l'enfant, comme vous le savez, il était allongé par terre, le haut du corps et le visage appuyés contre la cuisse de la fille. Mais les zones livides ne sont pas irrémédiablement fixées quelques heures *post mortem*. Dans certains cas, le sang peut se redistribuer en fonction de la gravité, du moins partiellement, après le déplacement d'un corps. Je dirais donc qu'ils ont été tués peu avant d'être placés là-bas.

— L'enfant devait avoir cinq ou six ans, non ? Et elle ?

— Difficile d'être précis et péremptoire. *A priori*, d'après la dentition, l'enfant avait moins de six ans, je dirais plutôt cinq. Il était très maigre pour sa taille, de toute évidence dénutri. Quant à elle, c'était encore une adolescente, jeune, quatorze, quinze ans maximum, sans problème pathologique particulier. Il faudra une confirmation de l'odontologiste parce que chez les filles, la dentition peut être un peu plus précoce que chez les garçons, mais jusqu'à dix-sept ans, cela donne des indications assez fiables. Ce qui est certain, c'est qu'elle avait moins de vingt-deux ans puisque l'épiphyse interne de la clavicule n'est pas encore soudée. Cependant, la profondeur du sillon pubien et les caractéristiques de l'utérus sont étranges.

— C'est-à-dire ?

— Elle avait déjà conçu. Pourtant, je ne sais pas, cette petite blonde m'a tout l'air d'une jeune fille sage, un peu démodée, même. Vous vous souvenez de ses vêtements ? Du reste, c'était d'autant plus surprenant que le gosse était sale et dépenaillé. Ses tennis étaient beaucoup trop grandes pour lui, l'une d'elles n'avait même pas de lacet. Et il n'avait pas de slip. Il portait juste son pantalon, pas de chaussettes, rien d'autre qu'un petit pull. Il devait crever de froid, ce môme.

— Oui, nous avions remarqué. Sur le moment, nous avons pensé qu'elle avait peut-être trouvé cet enfant en train de traîner. Enfin, je veux dire, nous n'avons pas songé qu'il s'agissait du frère et de la sœur. Elle portait une robe en velours noir, maculée de sang séché, cintrée sous les seins.

Le médecin reprit le dossier pour le parcourir rapidement :

— Une robe princesse, ça s'appelle, avec un col et des poignets en dentelle blanche, et un manteau de jeune fille. Des mocassins vernis. Un petit sac en bandoulière, velours vert bouteille, brodé. Pas grand-chose dedans : un mouchoir, quelques pièces de monnaie et un carnet de tickets de métro. Les sous-vêtements étaient en coton blanc, des trucs, là encore, de jeune fille pas trop délurée. La PJ va passer en revue son fichier des personnes disparues. Ça va encore plus vite avec les mineurs. Si ça se trouve, c'est une gamine qui s'est retrouvée enceinte et qui a fugué. Et puis, elle est tombée sur la personne qu'il fallait éviter. Car cette fille est jeune, ça, j'en suis certain. Reste à savoir où elle a accouché. Si c'est sous « X », on est très mal partis.

Le regard pâle du prêtre se fixa sur le médecin. Il demanda d'une voix sourde :

— Vous ne pensez pas que ce petit garçon puisse être son fils ?

— Non. Voyons, en admettant qu'elle ait quatorze ans et le gamin cinq, on est dans l'impossibilité physiologique, sauf cas extraordinaire. Non, vraiment pas. De toute façon, l'empreinte ADN nous fournira une certitude. Qu'allez-vous faire maintenant, mon père ?

— Continuer, prier. Il est trop tard pour le reste, bien trop tard.

Louis Lemaire raccompagna le prêtre jusqu'à la petite cour carrée qui abritait les bâtiments de la morgue. Quel étrange sacerdoce. Il en rencontrait de plus en plus, des laïques ou des religieux, accompagnant des dépouilles inconnues. Parfois, ils avaient passé la nuit à côté de cet homme ou de cette femme qui ne verrait pas d'autre matin, à lui parler, à le consoler ou même à lui mentir. Car eux aussi, ceux qui vont mourir, mentent tous. Ils mentent parce que leur monde, qui naît en marge du nôtre, est si effroyable qu'il vaut mieux fuir ailleurs. Et ces accompagnateurs de mort s'installaient dans la petite salle d'attente et patientaient durant des heures, sans presque bouger, sans ennuyer personne. Leurs noms importaient peu. Ils repartaient ensuite, un peu plus blessés, un peu plus fatigués, mais jamais découragés.

Une bribe de son latin revint au docteur Louis Lemaire. Obsèques, d'*obsequi*, suivre, accompagner. Accompagner, la même racine que compagnon, *companio*, ceux qui partagent le pain. L'ancien français en avait fait *compain*. Accompagner dans la mort un camarade de pain. Les mots sont magiques, ils portent en eux la vérité des hommes, mais on les prononce trop vite pour s'en apercevoir encore.

SAN FRANCISCO, CALIFORNIE,
14 FÉVRIER.

Gloria enfila à la hâte l'épais peignoir blanc qu'elle avait posé sur le rebord du lavabo. Elle frissonnait, en dépit de la chaleur d'étuve qu'elle faisait régner dans la grande salle de bains carrelée de blanc, du parquet de bois blond jusqu'au plafond. Elle passa la main sur son ventre, détachée, clinique. La masse de cellules qui se formait à l'intérieur repoussait la peau fine et pâle de son abdomen. Elle avait dû remplacer ses soutiens-gorge, étonnée de cette poitrine qui enflait, lui faisant presque mal lorsqu'elle se couchait sur le flanc. Il faudrait qu'elle se décide à prendre quelques informations. Quand ce poids étranger commencerait-il à la gêner physiquement ? Et ces nausées, quand cesseraient-elles ? Elle croyait se souvenir qu'elles ne perduraient pas au-delà des deux premiers mois, mais elle avait toujours mal au cœur. Gloria ne conservait presque aucun souvenir des manifestations de sa première grossesse, celle qui l'avait conduite à Clare. Clare qui dépassait sa mère d'une tête et parvenait enfin à prononcer quelques phrases structurées, à se repérer dans ce dédale de mots qui lui avait fait si peur si longtemps.

À l'époque, elle n'avait compris qu'elle était enceinte que lorsque son ventre avait poussé, excroissance de chair et de peau tendue sur le petit squelette qu'elle était alors. La peur, l'idée constante d'une mort imminente, avaient dilué le reste. Mais elle avait vécu, et elle survivrait encore.

Elle claqua la porte vitrée du haut placard dans lequel étaient soigneusement rangés tous les flacons de crème de beauté qu'elle n'utilisait jamais. Gourde. Elle réagissait comme une gourde. Elle avait décidé de garder ce futur enfant. Cette si jolie femme, dans la clinique gynécologique où Gloria avait pris rendez-vous pour un avortement courtois et luxueux, celle qui battait du bout de l'escarpin un rythme de rock sur la pavane pour orchestre de Gabriel Fauré, l'avait involontairement aidée à établir son raisonnement en faisant étalage de sa bêtise sans méchanceté. Gloria avait-elle giflé le joli visage maquillé pour cela, ou à cause du magazine qu'elle avait feuilleté ? L'article relatait le martyre et l'agonie de ces enfants russes parqués dans des mouroirs. Les photos étaient un peu floues parce que la journaliste avait été contrainte de dissimuler son appareil dans un cabas. Oui, elle avait frappé la jeune femme pour cela, parce que le visage de Clare se substituait à celui de ce petit garçon au crâne rasé, aux bras ligotés dans le dos à l'aide d'une sorte de camisole qui ressemblait à un long torchon. Les yeux lui mangeaient les tempes, un regard sombre d'incompréhension et de peine, un regard de petite bête tendre qui comprend malgré la confusion de son cerveau qu'elle va mourir, seule.

Elle devrait bientôt parler à Clare, annoncer la venue de cet enfant. Comment réagirait la jeune fille ? Avec violence, sans doute, puisque ses émotions alternaient des joies les plus délirantes aux rages les plus sauvages. Ou pire, en se terrant loin dans sa tête, déniant à sa mère le chemin qui menait à elle ?

Le souffle fit défaut à Gloria, et une quinte de toux lui arracha la gorge. Ne pas se laisser gagner par la panique. La panique est encore plus destructrice que l'agressivité. Ne jamais l'oublier. Jade. L'énergie fluide, presque indéfinissable, de la jeune femme eurasienne trouverait la solution. En parler à Jade.

Gloria se décida enfin à sortir de la salle de bains, s'habilla rapidement et descendit vers le grand salon. Elle n'aimait pas cette saison, même ici, en Californie. La lumière solaire semblait se rétracter sur elle-même comme si elle regrettait sa propre parcimonie. La perspective de l'humidité fraîche qui l'accueillerait à sa sortie lui donnait envie de se recoucher. Quelques semaines plus tôt, elle se serait servi un verre de vin. D'abord la surprise de la première gorgée irritant la racine de ses dents. Mais ensuite, l'étreinte déplaisante qui serrait sa nuque se relâchait, un soupir entre deux gorgées, une onde de chaleur qui chassait l'implacable froid de son diaphragme. Elle crut presque sentir la morsure annonciatrice de calme au creux de son estomac. Le sevrage de l'assuétude physique avait été bref, désagréablement indolore. Car elle avait attendu une douleur. Gloria côtoyait la souffrance depuis si longtemps qu'elle connaissait tous les stratagèmes pour la contraindre à dévier. Elle s'était préparée au combat, un de ces fabuleux combats qui vous occupent tant que la cruauté du reste ne vous atteint plus. Mais les nausées et les cauchemars du manque s'étaient mêlés aux vieilles peurs nocturnes et aux haut-le-cœur hormonaux.

Gloria éprouvait pour son corps une telle indifférence, un tel dégoût même, que ses dysfonctionnements la préoccupaient peu, tant qu'ils n'entravaient pas la liberté de son cerveau. C'était de cela qu'il s'agissait. L'alcool avait été pour elle un parfait antalgique, une sorte de sauf-conduit chimique qui oblitérait la peur pour libérer l'amas de neurones hébergé dans son crâne. Il la menait directement, si vite, là où plus rien ne pouvait l'atteindre, lui faire mal, là où elle était la plus puissante. Bien sûr, elle y parvenait aussi sans ce catalyseur malfaisant, mais c'était si long, la chair lui pesait, la fatigue l'embourbait, la crainte de la douleur la retenait.

Pourquoi devait-elle s'imposer ce handicap, cette lenteur ? Pourquoi freiner la descente dans sa tête, sans mièvrerie ni *a priori*, comme le lui avait seriné durant des années Hugues de Barzan, l'alchimiste de son intelligence, son tyran aussi, alors qu'un ou deux verres accéléreraient le processus ?

Gloria s'immobilisa au milieu du grand salon et siffla entre ses dents, mauvaise :

— Parce que tu as décidé que tu vivrais. Parce que c'est comme ça, Parker-Simmons, et tu te démerdes !

La sonnerie du téléphone la fit sursauter. La voix guillerette de l'amie la calma alors qu'un flot de paroles incompréhensibles dévalait. Gloria sourit, une première depuis des jours :

— Maggie, calme-toi ! Reprends dans l'ordre, je n'ai rien compris.

— Non, attends, c'est génial ! Putain, si j'avais su que la désintox était contagieuse, je t'aurais collé au sevrage plus tôt.

— Pardon ?

— J'ai pas pris de vraies cuites depuis presque un mois. Bon, j'irai pas jusqu'à affirmer que j'ai été parfaitement sobre, mais quand même. Alors du coup, mon cerveau respire, normal.

— Moi ce serait plutôt l'inverse. Je n'arrive pas à travailler. Je ne parviens plus à me concentrer.

— Ça va revenir. Tu craques pas et à tous les coups, tu vas replonger dans ta tête… comment tu dis déjà ?

— Comment « il » disait, Hugues, sans mièvrerie ni *a priori*.

— Je reprends le fil, je viens de trouver un super plan top.

— Qui est ?

— Attends, ma puce, je l'ai pas encore complètement bien. Faut que je peaufine. Euh... Tu fais quelque chose de transcendant ce soir ? James vient ?

— Non, rien de vraiment époustouflant, et non, il arrivera vendredi soir. Mais sa présence ne t'interdit pas de me rendre visite.

— Ben, c'est encore prématuré. Faut que je m'y fasse, et puis...

Au ton soudain sérieux et hésitant de sa voix, Gloria sentit sa crainte d'être encore une fois lâchée :

— Maggie, je te l'ai dit, le fait qu'il soit entré dans ma vie ne t'en exclut pas. Je vous aime tous les deux, comme je peux aimer, c'est-à-dire sans doute pas bien, mais je m'améliore. J'ai besoin de toi, ne l'oublie pas.

La petite voix de l'Irlandaise parvint à Gloria avec un décalage, comme poussée par son propre silence :

— Oh, ma belle, ça me donne envie de chialer, des trucs comme ça. (Elle reprit, soudain ragaillardie :) Justement, faut que je me grouille avec mon plan. J'ai besoin d'un complément d'informations. Tu retournes plus là-bas, je veux dire en Virginie ?

— En ce moment, c'est hors de question. Il y fait si froid, je hais ce froid. Et puis, de toute façon, je n'aime pas cet appartement.

Gloria détestait la promiscuité que lui imposait le voisinage du petit immeuble dans lequel James habitait. Elle avait passé des heures à imaginer d'autres corps, d'autres sommeils, d'autres cauchemars empilés au-dessus de sa tête, sous son lit, flanquant leur chambre. Elle pouvait presque sentir leurs haleines de nuit, leurs sueurs. La nausée lui fit remonter une salive amère dans la gorge. Elle ajouta précipitamment :

— Tu viens dîner ce soir ?

— Alors, ça, c'est pas de refus, ma puce. Qu'est-ce que t'as comme nouveaux DVD ?

Gloria énuméra une liste prometteuse, puisqu'elle avait choisi certains des titres en pensant à Maggie, que les histoires d'amour ou d'héroïsme les plus évidentes faisaient sangloter comme un bébé.

— Génial, y en a déjà deux qui me branchent ! On fait pizza ?

— On fait pizza.

— Bon, je te laisse, j'ai plein de trucs sur le feu.

Lorsqu'elle gara son nouveau jouet devant l'impeccable pelouse de Little Bend, l'institution privée et très onéreuse qui avait permis à Clare d'accéder à quelques mots, de se prouver à elle-même la réalité de son humanité, un crachin timide glissait sur le pare-brise. Les parterres joyeux de chrysanthèmes échevelés avaient été remplacés, sans doute dans la nuit, par des pensées blanches et d'un bleu violet. Jade veillait à tout. Tout ce qui faisait de Little Bend une sorte de petit paradis, pour ses pensionnaires habitués de l'enfer, était orchestré avec soin. Lorsqu'un des magnifiques oiseaux de la volière mourait, il était discrètement remplacé à l'identique parce que la mort, la peur, le chagrin ne devaient s'infiltrer dans ces lieux sous aucun prétexte. Clare pouvait ainsi raconter depuis presque neuf ans de longues histoires désordonnées à Pan-Pan, l'arrogant paon qui condescendait à s'approcher d'elle pour avaler les morceaux de gâteau qu'elle lui tendait. Il s'agissait en fait du troisième animal, les deux autres étant morts d'excès de bien-être et de nourriture. Jade, évoquant cette série de petits mensonges, de menues escroqueries qu'elle accomplissait quotidiennement par tendresse pour ses pensionnaires, avait conclu d'un gentil sourire :

— Pourquoi devraient-ils souffrir là où nous pouvons intervenir ? Il leur reste tant d'autres peines auxquelles nous n'avons pas accès.

Gloria aimait cet endroit, et tant pis si la paix qui y régnait était artificielle dans ses moindres détails. Ou peut-être tant mieux, car alors on pouvait la maîtriser, la conserver. Les pierres blondes rectangulaires du corps principal des bâtiments, les vagues de tuiles ondulées presque roses l'apaisaient elle aussi. Trois autres constructions longues et basses complétaient le carré typique d'une hacienda mexicaine, enserrant en son cœur un patio.

Elle sourit involontairement. Quelle idée ! Elle paraissait encore plus minuscule perchée au volant de ce gros 4 x 4 Dodge Durango gris à peine doré. Une bulle de protection de plus, c'est pour cela qu'elle l'avait choisi. Il était équipé de grosses barres d'acier cachées dans les portières, destinées à résister aux chocs latéraux, d'airbags dans tous les coins, d'un nouveau système électronique de compensation de freinage. Il y avait même une option supplémentaire, une petite alarme qui se déclenchait lorsqu'un pneu était sous-gonflé. En fait, elle s'était offert un coffre-fort pour son ventre.

Elle gravit lentement les marches plates qui conduisaient à l'immense porte de bois roux pâle.

Une jeune femme qu'elle reconnut à peine nettoyait l'intérieur des vitres du grand aquarium, à l'aide d'un petit râteau terminé par une lame de mousse. L'aquarium, objet de l'incessante fascination de Clare. Le ballet paresseux de ses étranges habitants la faisait sourire durant des heures. Les axolotls qui progressaient à l'aide de leurs mains sur le lit de sable ocre rose avaient fini par la lasser un peu, et sa nouvelle passion était un gros poisson ventouse, à la gueule barbue. Le comble du bonheur survenait lorsque l'animal collait sa grosse lèvre circulaire à hauteur du visage de Clare.

— Bisous, oui, moi, bisous ! hurlait-elle en appliquant sa bouche de l'autre côté de la vitre.

Gloria riait en désignant la trace lourde de salive qu'elle y abandonnait.

— Regarde, caca, ma caille, bouh-caca.

— Nôôôn, pas bouh-caca !

Et elle attrapait la main de Gloria pour déposer un baiser mouillé au creux de sa paume.

Gloria traversa le grand hall. Les larges dalles irrégulières du sol avaient été dépolies afin de ne receler aucun danger pour les habitants de l'institution. Des huiles coloraient les murs sable de scènes animalières charmantes, excusant par leur gaîté leur médiocrité d'inspiration. Elle se dirigea vers la grande pièce qui servait de bureau à Jade Whiteley. Les pierres blondes des murs avaient été piquées et brossées avant d'être recouvertes d'un vernis transparent et mat. Des tapis mexicains aux couleurs lumineuses atténuaient la rigueur pâle des lieux. La jeune femme travaillait assise à sa longue table de ferme en bois sombre. Des bocaux de bonbons multicolores s'appuyaient au flanc de son ordinateur.

Elle n'entendit d'abord pas Gloria. Un jeune garçon installé sur un coussin crayonnait un album en chantonnant, les coudes vissés sur une table basse, s'interrompant parfois pour ravaler bruyamment sa salive. Gloria songea qu'elle n'avait jamais vu Jade travailler seule. Il y avait toujours d'autres gens, enfants ou adultes à ses côtés, occupés à quelque tâche, quelque jeu. Quel âge pouvait-elle avoir ? Le temps semblait glisser sur le beau visage en forme de cœur. Jade leva les yeux du dossier qu'elle annotait et aperçut Gloria. Le lent sourire amical se forma :

— Ah, Mrs Parker-Simmons, vous êtes en avance, aujourd'hui.

La longue femme se leva et s'approcha de Gloria pour entourer ses épaules d'un geste léger et pourtant si perceptible. Inutile de lui demander pour la centième fois de l'appeler par son prénom. Sans doute souhaitait-elle que sa familiarité soit toute consacrée à Clare.

— J'aimerais vous parler, Jade... Seule à seule, ajouta Gloria en regardant le petit garçon concentré sur le remplissage d'une silhouette de cerf-volant.

— Venez, allons nous promener un peu. Erik, mon chéri ?

L'enfant leva vers elle un regard grave.

— Tu as droit à deux bonbons, pas plus, n'est-ce pas, mon chéri ?

Elle tendit vers lui son index et son majeur.

— Tu vois, deux. Montre-moi deux.

L'enfant leva la main et écarta tous les doigts.

— Non, ça, c'est cinq, chéri, c'est trop. Deux, montre-moi deux, tu sais.

Les trois derniers doigts de la petite main disparurent dans la paume, ne laissant tendus que le pouce et l'index.

— C'est bien, Erik. Je reviens tout de suite. Mais je suis juste à côté, avec cette gentille dame. C'est la tante de Clare, sa tata. Nous examinerons ce magnifique cerf-volant, tu veux ?

L'enfant hocha la tête, changea de crayon et retourna à son coloriage.

Jade précéda Gloria dans le hall et elles sortirent dans le patio situé à l'arrière de l'hacienda. Il y régnait une agréable fraîcheur, jamais déplaisante. L'habile construction d'inspiration mexicaine semblait tenir à l'écart les caprices des saisons.

— Je ne crois pas avoir déjà vu ce petit garçon au restaurant.

— Non, il est arrivé il y a deux semaines. Il était trop mal en point pour supporter d'autres présences que la mienne. Ce sont ses grands-parents qui nous l'ont amené, à la suite d'une bagarre juridique pénible. C'est très dur dans ce pays d'enlever un enfant à sa mère biologique, aussi… inapte soit-elle. Erik ne parle plus. C'est fréquent lorsque l'on crie trop, en vain.

Au pli mauvais de ses lèvres, Gloria comprit que Jade détestait cette femme qu'elle ne connaissait pas.

— Que s'est-il passé ?

Jade retrouva sa maîtrise et déclara d'un ton qui décourageait toute autre curiosité :

— L'inacceptable, comme d'habitude, Mrs Parker-Simmons, mais c'est encore plus intolérable lorsqu'il vient de la mère. Vous souhaitiez me parler ?

Gloria plongea dans le regard sombre, doux comme un velours. Elle exhala, bouche entrouverte, puis se mordit les lèvres. Jade l'encouragea :

— Vous avez décidé d'en discuter, il faut donc accepter que les mots se forment.

Un rire, un rire doux, léger. C'était sans doute la première fois que Gloria entendait le rire de la femme brune :

— Allons, Mrs Parker-Simmons ! Nous sommes toutes les deux des chênes, c'est beau, un chêne. Un des symboles les plus évocateurs de résilience, n'est-ce pas ? Ils trônent, seuls au milieu de leur champ. Et des petits êtres s'abritent sous eux, s'y protègent. Mais les racines des chênes sont trop courtes pour leur envergure, une tempête trop violente peut les déraciner. Oui, magiques et si vulnérables. Si terriblement solitaires.

Merde, un verre, elle avait besoin d'un verre. Le manque l'avait lâchée, restait l'envie, comme un recours, une parade. Gloria bâilla profondément, ça marche souvent, ça évite de fondre en larmes devant une presque inconnue qui vous décrit comme si elle habitait votre tête. Elle lâcha, butant sur les premières syllabes :

— Je... je suis... enceinte. Je ne sais pas comment l'annoncer à Clare. Jade, aidez-moi, j'ai si peur.

Jade la détailla quelques secondes et répondit, un peu triste :

— Oui, je sais.

— Comment cela ?

— Comment je sais que vous êtes enceinte ? Les seins, c'est la chose la plus immédiatement discernable. Comment je sais que vous avez peur ? Vos tenues, de plus en plus larges, pour que Clare ne remarque rien. C'est une excellente nouvelle, Mrs Parker-Simmons. Toutes les nouvelles de vie sont bonnes. Enfin, du moins lorsque la vie n'engendre pas la mort et la souffrance. Aussi ai-je du mal à comprendre ce qui vous effraie.

Gloria hésita avant de répondre. Son ton serait sec, brutal. C'était pourtant évident à saisir. À quoi jouait Jade ? Sentit-elle sa soudaine agressivité, toujours est-il qu'elle posa une longue main apaisante sur la manche du manteau de Gloria.

— C'est dans votre tête qu'il existe un problème, Mrs Parker-Simmons, pas dans celle de Clare. Son monde à elle est balisé par l'instinct, les émotions. Si elle sent votre peur, elle aura peur, même si elle ignore de quoi. Si ce futur bébé est une joie commune pour vous deux, elle sera ravie. Ce sera aussi son bébé. Il ne la menacera que si vous installez le danger. Excusez-moi. Je dois rentrer et retrouver Erik.

Gloria traîna encore quelques minutes dans le patio, le dos appuyé à l'un des piliers qui ceinturaient la cour intérieure.

Bien sûr, que les craintes de Clare naissaient d'elle, James le lui avait déjà dit ce jour pas si lointain où ils avaient déjeuné tous les trois dans un restaurant. La jeune fille avait piqué une crise de rage, manquant de massacrer une enfant blonde. Gloria s'était évanouie. Rien de tout cela ne serait arrivé si Gloria n'avait pas eu peur, si elle n'avait pas anticipé la scène avec tant de force qu'elle devenait inévitable.

Toute sa vie la peur, de ce qui était passé, de ce qui peut-être allait survenir. Elle y avait vu la manifestation aiguë de son aptitude à la survie, pour Clare, juste pour Clare. Sentir d'où viendra le danger afin de s'y préparer, pour y résister. Foutaises. Dans la plupart des cas, elle était passée d'un danger imaginaire à un autre. Du reste, elle ne s'était pas attendue à la seule blessure qui l'avait dévastée.

Dans cette salle de bains, ce type qui puait l'alcool, qui tirait ses cheveux d'enfant, qui forçait ses cuisses à s'entrouvrir, qui la déchirait d'un coup de reins, d'un rire.

La peur, lorsqu'elle n'est pas suivie de rage, est une aberration. Il suffit d'un infime changement hormonal pour que la victime se transforme en fauve. La peur vous casse les ailes, vous cloue au sol, vous offrant aux mâchoires qui vous claquent au visage. Elle savait tout cela, pourquoi ne parvenait-elle pas à se défaire de cette suicidaire notion selon laquelle il suffit de se tasser sur soi, d'attendre que les coups cessent, de ne surtout plus respirer, pour que le danger disparaisse ?

Même lui, son violeur hilare, son si charmant beau-père, elle n'avait pas pu le tuer seule. Il avait fallu qu'elle force le fusil dans les mains de cette femme sans voix, sans regard. Il avait fallu que cette mère choisisse encore et toujours le tortionnaire, qu'elle abandonne sa fille, une nouvelle fois, la dernière. Ce n'est qu'à ce moment-là que Gloria était enfin parvenue à appuyer sur la détente. Ce qui restait de sa belle tête de tordu avait lentement coulé sur le papier peint à petites fleurs de la chambre maternelle.

Gloria respira à fond et jeta un regard sur sa montre. Il était presque midi. Clare devait l'attendre devant le grand aquarium.

Pas aujourd'hui, calme, mon bébé. Demain, je te parlerai, ma caille.

Aujourd'hui, elles se promèneraient comme hier, comme avant-hier, comme tous les jours dans le parc. Peut-être Gloria oserait-elle enfin aborder, sourire à ce jeune homme si brun, si doux que Clare couvait du regard entre deux bouchées. Luis.

À dix-neuf heures, une Maggie hilare débarqua. Elle repoussa Gloria vers l'intérieur de la maison achetée à son retour de France. La vaste *painted lady* victorienne se nichait au creux de la pente de Diamond Heights, une des quarante-deux collines de San Francisco. Elle sécrétait cette sensation de solidité et de sécurité qui permettait à Gloria de fermer les yeux, parfois. Deux jardins d'hiver d'ajout plus récent, dentelle de fer forgé et de verre, la flanquaient de chaque côté.

— Alors, ma puce, tu t'installes sur ton beau canapé et tu jures de fermer les yeux jusqu'à ce que je te dise !

— Quoi ?

— Fais ce que je te dis, pour une fois.

— D'accord, d'accord.

— Tu fermes les yeux, tu jures ?

— Je promets. Parole.

— Okay, je te laisse cinq secondes pour te poser.

Gloria gloussait sans savoir pourquoi. Elle s'installa dans l'un des canapés en cuir clair, bras croisés sous les seins, et ferma les yeux.

— Talah… Ouvre !

Une paire d'yeux marron foncé la contemplait. Deux petites oreilles d'un beige duveteux frissonnaient de curiosité. Mais le gros ballon en forme de cœur, gonflé à l'hélium, que retenait son collier, agaçait le chiot qui entreprit de mâchouiller son lien avec application.

— Excellente Saint-Valentin, ma puce !

Les larmes montèrent aux yeux de Gloria et elle décida de ne pas les retenir pour en faire cadeau à Maggie. Elle sanglota :

— Oh, ce qu'il est beau, il est si adorable !

Maggie, au bord des larmes, murmura :

— Il est beau, hein ? C'est un golden retriever, un vrai. T'as vu comme il est pâle ? Attends, j'ai son pedigree dans la poche de mon jean. J'ai pas voulu prendre un boxer, à cause de Germaine, c'était pas correct, mais il te fallait un chien tendre et joyeux. (Elle hésita, puis débita, fière d'elle :) Je sais que ça se dit pas quand on fait un cadeau, mais il m'a coûté presque toutes mes économies.

Gloria se leva et serra l'amie contre elle. Elles pleurèrent quelques minutes, sans trop savoir pourquoi, si ce n'est que la vie est parfois éblouissante. Maggie se dégagea la première, reniflant en s'essuyant le nez d'un revers de main. Elle hoqueta :

— Moi, je vais te dire, c'est bon parfois de chialer comme des gourdes. Il faut aussi pleurer pour le bonheur, pour le trop d'émotions. Ça les fait revenir.

Gloria tapa dans ses mains :

— Moi aussi, j'ai quelque chose, mais je n'ai pas de ballon. Attends. Je reviens. Tu fermes les yeux. Promets.

— Juré.

Gloria monta dans sa chambre du plus vite qu'elle put. Ce cadeau, elle l'avait depuis des mois, n'osant jamais l'offrir parce qu'il était luxueux et qu'elle ne voulait pas embarrasser Maggie. Il manquait un peu de rigueur pour son goût, mais Maggie adorait tout ce qui brillait. Elle repêcha le petit paquet dans un des tiroirs de sa commode et redescendit.

— Talah... Ouvre. Tiens, c'est pour toi. Bonne Saint-Valentin, femme.

Les yeux de Maggie s'écarquillèrent :

— Ah merde, c'est ces briquets français hors de prix ?

— Celui-là même. C'est de l'or, alors ne le laisse pas traîner.

— Ah, qu'il est beau, qu'il est beau !

— Pas aussi beau que mon chien.

Gloria attrapa le chiot et le dégagea de son ballon. Une langue rose et tiède lui débarbouilla la moitié du visage. Elle murmura à l'oreille de la petite bête :

— Tu sais, je crois que toi et moi allons beaucoup nous aimer. Ce soir, je suis un peu désorganisée, mais je dois avoir du steak haché quelque part. Tu vas me faire des pipis partout durant quelques semaines, et parfois je ne serai pas contente, mais ce n'est pas grave. On va rouler les tapis, d'accord ?

Le chiot jappa, ravi de cette voix grave et douce, et Gloria embrassa la truffe noire et presque glacée.

Maggie souriait, énamourée. Soudain, elle lâcha d'un ton docte :

— Tu vas avoir un succès fou avec ton gros bide.

— Pardon ?

— Y a pas mal d'hommes qui sont fascinés par les femmes enceintes. Des filles me l'ont dit. Vanessa... Tu connais pas, c'est une copine. Enfin, avant... Je la vois plus beaucoup. Elle était ravie, les mecs la mataient comme jamais. Ça les érotise. Je ne sais pas, ça doit être un truc en liaison avec l'évidence de la fertilité.

La sonnerie de la porte les tira de leur contemplation amoureuse : Maggie de celle de son briquet et Gloria de celle des babines du chiot qu'elle caressait.

— C'est les pizzas, j'y vais, ma poule.

Un livreur suant débarqua dans le salon, trébuchant sous le poids des gerbes de lys, d'arums et de roses blanches et jaunes. Il marmonna :

— Ben, ça c'est une Saint-Valentin ! C'est pas un fauché, ma p'tite dame. Ou alors, il est très amoureux, ou les deux.

En temps normal, Gloria lui aurait sans doute suggéré de garder ses commentaires pour des oreilles plus réceptives. Mais le chiot s'alourdissait de bonheur dans ses bras et les fleurs étaient magnifiques. Elle se contenta de donner à l'homme un pourboire, sans un mot.

Le message qui accompagnait cette profusion de serre disait : « Tu les mets partout. Je ne suis pas avec toi, mais tu ne pourras pas nous éviter. James, bien sûr. »

BAY VIEW NIGHT CLUB, BOSTON, MASSACHUSETTS, 14 FÉVRIER.

Whitney Harper éclata de rire. Il faisait tellement chaud dans cette boîte bondée que le léger caraco de soie qui couvrait son torse lui collait aux seins.

De gros ballons multicolores flottaient au-dessus de leurs têtes, Lloyd était amoureux d'elle, elle le sentait à son regard, à la façon dont il avançait les hanches en dansant. C'était un moment parfait, l'amusement cédait place à une joie sauvage, physique. Elle avait envie de lui, maintenant, envie de hurler de bonheur, à pleins poumons, envie que ce moment s'éternise toute sa vie.

Où donc étaient passés Kathy et son nouveau chéri, Rupert ? Le prénom était un peu grotesque, mais lui valait le déplacement. D'un autre côté, Kathy était si jolie, si charmante. Un peu volage sans doute, sauf en amitié. Ça, elle savait ce que ce mot signifiait, du reste, elles étaient amies depuis l'enfance, et aucune ombre n'avait jamais terni leur totale confiance. Kathy était le genre de fille à vous demander si son petit ami vous plaisait. Dans l'affirmative, elle le cédait volontiers. Il y en avait tant. Ils semblaient attirés vers elle comme par un aimant. Kathy était un être solaire, et Whitney remerciait ce caprice de la providence qui en avait fait sa meilleure amie, sa seule amie, du reste. D'ailleurs, un jour où elles avaient fumé un joint et pas mal bu – mon Dieu, si son père l'apprenait –, elles s'étaient demandé si la meilleure solution ne serait pas qu'elles deviennent lesbiennes ensemble. Elles étaient aussi jolies l'une que l'autre, aussi intelligentes, elles s'adoraient et rien ni personne ne les séparerait jamais. Et puis Kathy avait, comme d'habitude, trouvé la solution : le désir, ça peut s'inventer, mais seulement s'il est possible, et il ne l'était pas entre elles. D'un ton rendu las par la drogue, elle avait ajouté :

— Et puis, tu sais, je crois que c'est le sexe qui finit par séparer les gens, je veux dire, son usure. L'amour ne décroît pas s'il n'y a pas de sexe. Je suis convaincue qu'il n'y a pas trente-six formes d'amour. C'est toujours le même, ce sont les mêmes sensations, les mêmes besoins, l'amour d'une mère, celui d'un amant, d'un enfant. La seule différence, c'est l'intensité et le sexe. Et le sexe est abortif d'amour, par définition. Donc, si on veut s'aimer toujours, faut pas de sexe. Le désir, le sexe, c'est les autres et nous, c'est nous.

Sur le coup, cette théorie avait convaincu Whitney.

Ce soir-là, elles s'étaient endormies, lovées l'une dans l'autre.

Elles en avaient ri ensuite, accusé le shit, l'alcool, mais finalement cette logorrhée sous influence avait scellé encore plus profondément leur lien.

Serrée contre Lloyd au rythme d'une danse lascive, Whitney la blonde se demandait où Kathy la rousse était passée.

Kathy roucoula à l'oreille de Rupert pendant qu'on retrouvait leurs manteaux. Il lui plaisait vraiment beaucoup. Rejoindre sa voiture garée non loin, une chambre n'importe où. Un lit surtout. Long, très long, elle était d'humeur. Il fallait qu'il conduise pour qu'elle puisse continuer à lui faire perdre les pédales, pas trop quand même. De toute façon, elle était trop saoule pour être fiable derrière un volant. Merde, elle aurait dû prévenir Whitney qu'elle quittait la boîte, afin que l'amie ne s'inquiète pas.

L'air frais de la nuit faillit la dégriser, mais elle se cramponna à son ivresse. Les choses sont tellement plus douces, plus parfaites lorsqu'on est ivre.

Courir, courir plus vite ! Son ventre était si lourd, elle pouvait à peine se bouger. Mais courir parce que là-bas, elle déboucherait dans l'avenue éclairée et que ce soir, il y aurait du monde.

Un flot de sanglots lui remonta dans la gorge. Elle avait si mal. Pas chialer, ça ne sert à rien, ça essouffle, c'est tout.

Ne pas s'arrêter ni tenter de discuter ou supplier, il s'en foutait. Le tendre et beau Danseur avait pris son masque de tueur. Ou alors, était-ce que le tueur prenait parfois un masque de danseur charmant ?

Cent mètres, tenir encore cent mètres et peut-être même que ce putain de ventre ne résisterait pas.

Libre. Libre et pas morte. Pas massacrée. Elle avait eu tort. Il aurait fallu parler à cette femme. Mais les coups, elle avait eu si peur de ces coups dans l'eau. Encore des coups.

Oh le baiser ! Kathy adorait les « baisers sales » comme elle disait. Ces baisers qui vous laissent la bouche glissante de salive, la sienne, celle de l'autre. Debout sur le trottoir, pendue à son cou, la hanche appuyée contre la Mercedes coupé crème glace à la vanille, cadeau de papa pour son vingtième anniversaire, elle ne retrouvait plus les clefs de la bagnole.

Rupert riait, voulait appeler un taxi, murmurait contre son front : « Tu es folle, je crois que je tombe amoureux. » « Non, je vais les trouver, je t'assure. Taxi, pas bon. »

L'écho de la course du prédateur derrière elle. Plus vite, plus vite, mon Dieu, je vous en prie. C'est tellement dégueulasse, pourquoi, mais bordel, pourquoi ? Qu'est-ce que j'ai fait ? Je suis née, c'est ça la faute ? Pas le temps avec les conneries, ça ne sert à rien, ça ne peut pas servir dans ce monde. Courir, se battre, ça, ça peut sauver ta peau.

Ses cheveux longs, si blonds, brutalement tirés vers l'arrière. Se tourner. Un sourire. Un sourire de mâchoires. Les mâchoires claquent, elles dépècent. Pas de pardon, jamais de compassion. Non. Non, pas mourir. Qu'il crève, ce bide, qu'il crève, mais pas moi. Mon Dieu, je vous en prie, mon Dieu, je n'ai jamais rien eu. Juste une fois, pour moi.

La lame presque bleutée dans la pénombre de la contre-allée. Un rasoir, bien sûr.

Lever la jambe en cramponnant son ventre qui la gêne, comme avec ces connards de défoncés, de pétés en tout genre. Puis l'abattre de toutes ses forces contre le sexe du Danseur. Qui gémit et se casse en deux. Repartir, vite, courir, plus que cinquante mètres.

C'est quoi ce truc qui coule. Qui brûle. C'est quoi ? Du sang, merde, son sang, la lame bleue a tranché quelque chose, qui saigne comme une rivière.

Elle était jolie cette petite église, perdue en haut d'une colline. Il y faisait si calme et lorsque la lumière d'été pénétrait par les vitraux, sa sœur riait en prétendant que Dieu leur faisait un clin d'œil. Lorsqu'elle priait, les genoux écrasés sur la barre de bois, elle avait presque l'impression que les brebis de Dieu paissaient dans les champs alentour. Pourquoi ces cons ne parlent-ils pas des loups ? Ils savent, pourtant. Ils savent que les brebis servent à nourrir les loups, mais elles ignorent tout de cet inévitable sacrifice.

La fille blonde déboula dans l'avenue illuminée, de la musique glissait le long des vitrines enrubannées. Son sang, celui qui s'échappait de la plaie de sa gorge, tapait encore dans sa tête, pour combien de temps ? Ça prend combien de temps pour se vider ? Elle vit, loin, très loin, cette femme rousse si belle, si bien habillée près de sa Mercedes. Elle riait comme une folle, tête renversée vers l'arrière, accrochée au cou de son amant. La fille fonça. Son ventre ? Rien à foutre. Qu'il crève. Elle tomba sur le corps de la femme qui la cramponna sans comprendre, et murmura, en mourant dans ces bras qui sentaient si bon :

— Je vous en prie, je n'ai rien fait de mal, jamais.

Kathy serrait la fille morte qui coulait vers l'asphalte du trottoir. Rien, il n'existait plus rien d'autre que cette adolescente rouge sang aux yeux béants qui gisait dans ses bras. Si, juste elle, agenouillée sur le trottoir. Si, Whitney, où était Whitney ? Elle accompagna tendrement le corps mort vers le sol pour l'y abandonner et se redressa. Rupert la regardait, blême, figé. Enfin il ouvrit la bouche. Elle feula :

— Laisse-moi !

— Si ça se trouve, cette fille était malade… Tu as du sang partout.

— T'as peur ? Barre-toi.

Le vide. Le vide dans sa tête. Elle fonça dans la boîte. Une haie de peur s'écarta devant elle, lui livrant passage jusqu'à Whitney. Un silence, même la musique semblait sourde. L'amie stoppa sa danse et hurla en se jetant sur elle pour se coller au chemisier trempé de sang :

— Kathy, tu es blessée ? Kathy, réponds, merde !

— Non, une fille, une blonde, si blonde, comme toi. Morte dans mes bras.

Whitney la plaqua contre elle en soupirant. Kathy pas blessée, Kathy pas morte, la terreur refluait, le monde continuait.

— Chut, je suis là. On y va, chérie. Chut, on va y arriver.

— Appelle ton père, Whitney, appelle ton père !

— Je vais l'appeler. Je vais le faire, tout de suite. Viens, on sort. On se tire d'ici.

— Elle a dit qu'elle n'avait rien fait de mal, jamais.

Kathy s'écroula en sanglots contre son amie.

FREDERICKSBURGH, VIRGINIE, 17 FÉVRIER.

Besoin d'elle, il avait tant besoin de Gloria. Son corps lui donnait l'impression de rétrécir lorsqu'elle n'était pas là, de vieillir aussi. L'accumulation de délabrements minuscules prenait des formes inévitables. Une sorte de méchanceté contre lui-même le poussait de plus en plus souvent à en dresser l'inventaire : ces vagues douleurs incohérentes qui sillonnaient ses muscles, ces articulations qu'il fallait ménager quelques instants après une immobilisation, ces taches brunâtres qui apparaissaient maintenant sur l'épiderme de ses mains. Pourtant ce corps était encore apte, ce corps vibrait jusqu'à l'éblouissement lorsqu'il faisait l'amour avec elle. Il crispa les lèvres : de Gloria naissait son corps, il le retrouvait dans ses soupirs et ses mots incompréhensibles.

James Irwin Cagney finissait par détester cet appartement parce qu'il savait que Gloria ne l'aimait pas et ne tenait pas à y séjourner. Trois pièces pourtant bénignes accueillant un homme en transit, meublées sur catalogue d'objets sans aspérité ni originalité. Des bibliothèques Chippendale, un canapé de cuir havane, bref des meubles achetés par téléphone parce qu'ils étaient en stock et ne nécessitaient aucun délai de fabrication. Partir ? Pourquoi pas ? Il était en droit de demander sa retraite. Il pouvait devenir consultant extérieur du FBI, d'autres l'avaient fait avec plus ou moins de succès avant lui. Mais quoi ? Habiter chez elle. Il n'était pas sûr qu'elle le souhaite ou même qu'elle le tolère. La sonnerie du téléphone le tira de ses rêveries moroses. Il était à peine sept heures du matin, la grisaille réfrigérante d'un univers mort sevré d'énergie, de lumière, l'accueillerait dehors. Il aboya :

— Cagney !

La voix hésitante de Ringwood lui répondit :

— Bonjour, monsieur. Désolé. Mais nous étions certains que vous étiez réveillé.

— Que se passe-t-il, Ringwood ?

— Euh... Je commence par quoi ? La mauvaise nouvelle ou la mauvaise nouvelle ?

— Eh bien, commencez donc par la plus mauvaise des mauvaises.

— Ouais, bon, ben, au choix. Harper est dans tous ses états. Il a déboulé comme un dingue il y a dix minutes en hurlant : « Enfin quelqu'un, c'est pas trop tôt, qu'est-ce que vous foutez dans ce département ? » Il était sept heures moins le quart !

— Ça vous étonne ? Quand Harper est réveillé, l'univers entier est déjà sous la douche, voyons ! Et cette fois, c'était quoi ? La fille d'un maire a été kidnappée, ou un dingue lui a montré son zizi ?

— Non, mais vous brûlez. Une certaine Kathy Ford, la meilleure amie de la fille de Harper, la perle de papa et de Véronique, a réceptionné dans ses bras une nana morte. La Ford en question sortait d'une boîte branchouille de Boston, le soir de la Saint-Valentin, vers trois heures du matin. En plus, cette cochonne, la morte je veux dire, avait foutu du sang partout, parce qu'elle s'était traînée vers la rue, sans doute dans le vain espoir de s'en sortir. Donc Harper est sur les dents, pour calmer la crise de nerfs de la meilleure copine de son petit bijou de fille. La copine en question a été hospitalisée au Brigham and Women, elle avait pété les plombs. Vous voyez le topo. Vous la connaissez, la fille de Harper ?

— Whitney ? Oui, de vue. Jolie fille, le portrait de sa mère en plus élancé.

— Alors on n'est pas sortis de l'auberge.

Un soupir de fin du monde ponctua cette conclusion. Andrew Harper était connu pour son génie de la communication, les méchantes langues traduisant cela par « putasserie », son amour pour les belles lunettes et les nœuds papillons, et sa passion pour sa femme Véronique, une Française. Ses dons pour la diplomatie présentaient quelques avantages puisqu'ils avaient permis de sauver la peau des fesses de certains départements sensibles du FBI, dont celui que dirigeait Cagney. On ne lui connaissait pas de liaisons extraconjugales, ce qui, dans ce milieu où tout le monde flique tout le monde par déformation professionnelle, équivalait à une bénédiction.

Cagney soupira à son tour. Avoir Harper sur le dos signifiait que le monde s'arrêtait de tourner jusqu'à ce qu'il ait satisfaction, que donc sa fille soit contente, donc Véronique reconnaissante, donc lui mari heureux. Cagney s'était laissé conter que la douce et sensuelle Française pouvait avoir un caractère marqué, en dépit de ses allures de bonbon rose. Dans ces moments-là, elle trépignait, inondant son mari de ces interminables phrases dont les Français ont le monopole, bourrées de verbes conjugués à des temps impossibles, de compléments et de prépositions, le paniquant puisqu'il ne comprenait que les mots les plus simples et les plus lents de la belle langue de Molière.

— De toute façon, cette histoire ne nous concerne pas. Elle revient au Boston Police Department.

— C'est ce que j'ai tenté d'expliquer à Harper, mais de toute évidence, il n'est pas de cet avis.

— Bien. J'irai le voir dès mon arrivée. Et l'autre ? C'est la moins mauvaise mais quand même mauvaise nouvelle, c'est cela ?

— Euh... non, j'ai gardé le pire pour la fin.

— Chouette, je commençais à m'ennuyer !

Il y eut un silence, et Cagney sentit qu'il allait détester la suite. Il était en dessous de la vérité.

— Je viens de trouver un mail de Morris, dans ma messagerie. Et, euh... Il en a assez de Washington et il revient en Virginie, à la base.

Cagney s'assit sur l'accoudoir du canapé Chippendale en cuir havane. Une bordée d'injures lui monta dans la gorge. Il se contenta d'un plat :

— Son poste dans l'unité n'est plus vacant.

— Il ne le revendique pas.

— Alors quel poste a-t-il obtenu ?

— Il doit servir d'agent de liaison à Harper.

— Oh merde !

— Oui, je crois qu'on peut le synthétiser comme cela, monsieur. Ça veut dire qu'on va l'avoir dans les pattes en permanence, n'est-ce pas ?

— Oui, ça veut dire aussi que je ne pourrai rien faire hiérarchiquement et qu'il risque de régler ses comptes avec moi. Cela signifie également que Harper veut prendre le contrôle de l'unité, mais en souplesse. Ce n'est pas un hasard s'il a choisi Morris, il est trop rusé pour cela. Ringwood, nous en reparlerons un peu plus tard. Il faut que je me prépare et que je réfléchisse.

Il raccrocha et resta là, tentant d'organiser les idées

disparates qui s'alignaient dans son esprit. Donc, Harper mettait la main sur son unité. Cela faisait longtemps que Cagney le prévoyait. Harper était un homme très intelligent mais c'était aussi un sanguin. Une belle typologie de dominateur qui ne supporte pas que les choses lui échappent. Et le CASKU se dérobait, depuis des années, alors que l'unité s'appelait encore Unité d'Aide à l'Investigation, voire même Unité des Sciences du Comportement. Andrew Harper savait qu'il devait son manque d'emprise à Cagney. Le CASKU était devenu, au fil des années, une sorte de vitrine très médiatique pour le FBI, mais aussi un service redouté des politiques parce que les affaires qui y atterrissaient saignaient et hurlaient en première page de tous les quotidiens. Une frange non négligeable d'électeurs ne comprenait pas que l'on investisse son argent afin d'étudier et de prévoir les monstres, lorsqu'il est si simple et si économique de leur injecter un cocktail létal. Cette ambiguïté politique n'échappait pas à Harper, et il souhaitait la contrôler au plus près, sans doute pour moins la redouter.

Morris, Jude Morris. Le souvenir du beau regard marron doux, de ce corps si jeune, si maîtrisé, revint à Cagney. Il lui en voulait de tant de choses, et il les lui avait fait payer. C'est ce que Morris remâchait depuis presque deux ans. Dawn, leur toute jeune recrue, était morte à cause des envies suicidaires de Morris, se jetant au-devant d'une balle qu'il espérait, qu'il cherchait depuis des semaines. Elle était morte dans les bras de Cagney, et puis elle était à nouveau morte lorsqu'il avait fait le voyage pour annoncer son décès à deux parents qui ne comprenaient pas. Il se souvenait encore de l'odeur âcre des fientes de poulet qui lui parvenait des bâtiments jouxtant la ferme, ravivée par une incessante pluie, de cette femme, cette mère qui se pliait au sol comme si on aspirait sa vie. Le père avait murmuré : « Mais enfin, c'était notre seule enfant », comme s'il faisait allusion à une erreur de comptabilité.

Et durant tout ce temps, il y avait eu la passion dévastatrice, malade, de Morris pour Gloria. Que s'était-il au juste passé, qu'est-ce qui avait pu bloquer Morris dans cette obsession ? Cagney ne le saurait sans doute jamais, d'autant que Gloria s'en foutait, comme du reste. L'animosité glaciale de la jeune femme avait empiré au fil du temps, et le désespoir de Morris avait contaminé tout son cerveau, jusqu'à la fièvre, jusqu'au presque meurtre de Dawn Stevenson. Morris avait cru trouver un antidote, un ersatz de Gloria, Virginia Allen, aussi blonde, aussi menue, aussi ravissante que son fantasme mortifère. Elle était devenue sa femme, la mère de son futur enfant, enceinte comme Gloria. Sans doute n'avait-il jamais fait l'amour avec Virginia, la trompant avec elle-même depuis le début, pour rejoindre un autre ventre, une autre sueur. Ceux de Gloria. Virginia était si vivante, si amoureuse de lui, d'elle, de la vie, de tout. Morris ne comprendrait jamais que ce qui le fascinait tant en Gloria était de combattre cette pseudo-mort dans laquelle elle évoluait depuis des années. Il voulait la forcer à accepter sa vie pour justifier son existence d'homme. Gloria était devenue tous les symboles que Morris ne pourrait jamais décrypter.

Cagney s'était débarrassé de lui parce que cet amour obsessionnel le rendait malade, en faisait un danger pour les autres, tuant Dawn. Il avait longuement pesé toutes les facettes de sa décision, y cherchant la trace d'une jalousie de mâle, lamentable et pourtant si recevable. Mais avec Gloria, Cagney était au-delà de la jalousie, même s'il se débattait parfois dans la souffrance, dans la terreur de la perdre ou pire, de ne pas pouvoir la rejoindre. Finalement, il avait découvert, à cinquante-six ans, presque cinquante-sept, qu'il n'était bien que dans son univers à elle, et l'abandon de celui qu'il occupait depuis longtemps lui était assez indifférent.

BASE MILITAIRE DE QUANTICO, FBI, VIRGINIE, 17 FÉVRIER.

L'entrevue avec Andrew Harper n'avait pas été orageuse. Une tempête eût été parfaitement ridicule et surtout inefficace.

La satisfaction de Harper brillait derrière ses belles lunettes rondes en écaille. Il avait magistralement avancé ses pions et il le savait. Au bout d'une demi-heure de phrases creuses et lénifiantes, il s'en était tenu à une inoffensive conclusion : Morris était un contact, sans plus, quant à l'enquête sur cette fille morte, qui prouvait qu'elle ne dépendait pas d'eux, en cherchant bien ? L'insistance que Harper avait mise dans ces trois derniers mots disait assez qu'il souhaitait vivement que l'on trouve.

Cagney se serait sans doute défendu avec plus d'obstination si… si Morris ne lui pendait pas au nez. Mais n'était-ce pas la nouvelle fonction de son ex-adjoint telle que l'avait conçue Harper ? Surveiller le CASKU, mettre Cagney et toute son équipe au pas ?

James Irwin Cagney attrapa la petite boule presse-papiers, la pièce maîtresse de son petit musée des horreurs, ainsi que l'avait baptisé Richard Ringwood. Une mignonne Blanche-Neige cramponnait autoritairement deux de ses nains, et lorsqu'on la retournait, une pluie de petits flocons de neige synthétique les baignait.

Que faisait Gloria là-bas ? Si loin de lui. Sans doute se réveillait-elle à peine. Elle irait ensuite prendre une douche si chaude qu'il se demandait comment elle supportait l'eau brûlante. Elle travaillerait quelques heures avant d'aller rejoindre Clare à Little Bend. Puis elle rentrerait et peut-être lui téléphonerait-elle. Depuis trois jours, ses appels le ravissaient. Elle les ponctuait parfois d'un de ses rires bas de gorge : le chiot avait encore fait une bêtise et l'imagination de la petite bête paraissait sans limites. Sur le coup, il en avait voulu à Maggie, une sorte de jalousie idiote mais hargneuse. Il avait eu l'idée d'un tel cadeau, mais n'avait pas osé. Cette femme amie lui volait un minuscule triomphe et la propriété de quelques fous rires de Gloria.

Cagney pouvait retracer chaque minute des journées de Gloria puisqu'elle les décalquait à l'infini. Mais, en dépit de tous ses efforts, de toute sa science de l'âme humaine, il ne parvenait toujours pas à la suivre dans sa tête. Elle le déroutait, au sens réel du terme, l'abandonnant dans des impasses. Il se fourvoyait, s'engouffrant dans les culs-de-sac qu'elle semait. Pourtant, cet esprit magique était parfaitement organisé, même s'il n'avait pas encore trouvé de clef pour le décoder.

Demain, il la rejoindrait. Demain, il s'endormirait dans ses cheveux. Demain, il irait bien.

Il enfonça une touche du clavier de son bloc-téléphone :

— Ringwood ?

— Oui, monsieur.

— Je sors de chez Harper. Vous pouvez venir ? Si Glover est dans les parages, sa présence est requise.

Il attendit l'arrivée des deux hommes. Blanche-Neige passait alternativement d'une douche de polystyrène au ciel translucide de sa boule, sans que ces catastrophes météorologiques à répétition n'altèrent son permanent sourire.

— Installez-vous, messieurs.

Ringwood se laissa choir dans son fauteuil, expirant profondément comme s'il venait d'accomplir un effort surhumain en parcourant les trois mètres qui séparaient son bureau de celui de son chef. Glover croisa les jambes et fixa Cagney. Que ce jeune mec était beau ! Une sorte de tristesse diffuse envahit Cagney. Glover lui rappelait Morris, en plus subtil, en plus teigneux aussi. Tous les deux étaient la synthèse de ce qui l'avait abandonné au fil des années, sans qu'il y prenne vraiment garde. Percevaient-ils seulement le privilège de cette jeunesse, le miracle de ce corps qui se remettait du pire en quelques heures ? Peut-être, mais il est vrai qu'on n'en mesure toute l'importance que lorsqu'il commence à renâcler et à vous lâcher.

— Glover, Ringwood a dû vous briefer sur l'intervention de Harper.

— Oui, monsieur. On est dans la merde, c'est cela ?

— Pas complètement, mais ça glisse, et nous n'avons pas beaucoup de branches auxquelles nous cramponner. (Se tournant vers Richard, Cagney demanda :) Vous avez évoqué le problème Morris ?

— Peu. Je… Enfin, je me suis dit qu'il s'agissait d'affaires privées et que…

— Privées, dites-vous ? Elles vont nous tomber dessus bientôt.

Devant l'air fermé de son informaticien, Cagney ajouta :

— Votre discrétion vous honore, Richard. Ce que je veux dire, c'est que ces fameuses affaires privées sont l'obsession de Morris. Tout ce qu'il fait, ou va tenter, naît de notre histoire commune, en quelque sorte. Que croyez-vous que soient les hommes ? Des paquets de passions, de désirs et de souffrances. Vous êtes donc autorisé à expliquer à Glover les raisons pour lesquelles Morris ne me fera pas de cadeau. Je vous y engage, même. Quand arrive-t-il à la base, à ce propos ?

— Je l'ignore. Il est déjà en ville. Il cherche un appartement pour sa femme et lui. Elle doit le rejoindre dès qu'il sera installé.

— En ville, à Fredericksburgh ?

— Bien sûr.

— Décidément ! Il veut reprendre l'histoire où nous l'avions laissée, retrouver toutes les conditions, l'environnement, peaufiner la mise en scène.

Ringwood se redressa sur son fauteuil, gêné. Il ouvrit la bouche, puis la referma :

— Allez-y, Richard. Si c'est une vraie question, ce ne sera pas une vacherie. Vous connaissez cette phrase admirable des Black Panthers. C'est vieux, mais je ne m'en lasse pas : « Il y a ceux qui sont du côté de la question et quelques autres, du côté de la réponse. »

— Oui, je me souviens, c'est pas tout jeune, et à l'époque, on aurait été mal, rien que de citer une de leurs maximes. Contagion, c'est ce qu'on aimait diagnostiquer. Voilà, c'est-à-dire que… Je me demande si vous n'êtes pas un peu paranoïaque au sujet de Morris. Enfin, je veux dire, de l'eau a coulé sous les ponts, il est marié, il va avoir un bébé… Si ça se trouve, tout cela c'est de l'histoire ancienne, pour lui.

Cagney reposa la boule presse-papiers qu'il tenait toujours au creux de ses mains et rétorqua :

— Vous n'imaginez pas à quel point je souhaite que vous ayez raison, Richard. Malheureusement, j'en doute. Concernant la fameuse enquête sur cette fille égorgée en pleine rue, comment procède-t-on pour tenter de s'y raccrocher ?

Lionel Mary Glover prit la parole d'un ton dubitatif :

— Richard m'a donné quelques éléments lorsque je suis arrivé. Je ne vois pas pourquoi Andrew Harper s'est collé dans la tête que l'on pouvait transformer cette affaire en enquête fédérale. D'autant que...

Il baissa le regard vers la pointe de ses chaussures et joignit les mains avant de poursuivre :

— D'autant qu'elle a été confiée à deux de nos connaissances au Boston PD. Bob Da Costa et Elizabeth-Ann Gordon, acheva-t-il dans un murmure embarrassé.

Cagney réprima un sourire :

— Ah oui, la fameuse Squirrel, la petite dame qui n'a pas la langue dans la poche arrière de son pantalon, une de vos amies maintenant, si je ne m'abuse ?

— C'est un bien grand mot... surtout en ce moment.

La gêne de Glover l'amusait, mais Cagney eut pitié de son adjoint. Où en était-il de sa relation avec Elizabeth-Ann ? Cagney gardait de sa première rencontre avec elle, dans cette salle de briefing du Boston PD, un sentiment étrange[1]. Le mot « doux » lui traversa l'esprit. Pourtant, elle les avait chargés avec une dangereuse témérité. Il revoyait la peau si pâle, le contraste étonnant entre les cheveux gris de la très jeune femme et ses yeux couleur thé, tirés en longue amande vers les tempes. Une déroutante

---

1. *La Raison des femmes*, Le Masque, 1999.

vitalité émanait de son corps mince, presque léger. Ce jour-là, elle veillait sur son partenaire, Da Costa, protégeant cette grande carcasse d'homme vieillissant de sa hargne, de son courage aussi.

L'intérêt de Glover pour la jeune femme n'avait pas tardé à devenir évident. D'un autre côté, Lionel Mary retrouvait ainsi le cocon qui l'avait protégé, entraîné, dressé pour en faire un flic, et qu'il avait quitté pour le FBI. Cagney demanda :

— Qu'est-ce qu'on a sur cette enquête, au juste ?

— Ce que nous a transmis Da Costa, c'est-à-dire pas grand-chose. Je pense que sans l'intervention de Harper, l'affaire aurait été assez vite classée, remarqua Glover. La fille en question était très jeune, caucasienne. Enceinte. Pas d'identité, rien qui concorde avec le Missing Persons Bulletin. Un assassinat sous X, comme on en a des dizaines tous les ans.

— Qui a réalisé l'autopsie ?

— Au début, Barbara Drake, le médecin légiste expert du Massachusetts.

— Oui, on connaît. C'est une bonne mais je m'en méfie.

— Confidence pour confidence, moi aussi.

— « Au début », avez-vous dit ?

— Oui, monsieur. Andrew Harper a fait monter Zhang pour expertise.

— Ça n'a pas dû plaire au docteur Drake, commenta Cagney.

— Ce n'est pas évident. Elle aime les gros trucs. Le FBI la grise davantage que le cadavre d'un petit vieux découvert sous un banc. Ça confirme son importance et la dame a les dents qui raclent par terre. À sa décharge, il faut dire que pour une femme, et pas une descendante de ces fossiles du *Mayflower* qui ont toujours pignon sur rue dans cette bonne et belle ville, elle doit être sacrément valable pour être parvenue jusque-là.

Cagney jeta un regard à Glover. Il ne s'était pas trompé sur son compte. Celui-ci avait tout en lui, mais dans le désordre. Lui donner les outils pour organiser l'anarchie de ses potentialités, c'était en faire un redoutable atout.

— Oui, vous avez sans doute raison, d'autant qu'elle a déjà travaillé avec Zhang.

Ringwood lâcha d'un ton aigre :

— Ben, si elle s'en est remise, c'est que c'est vraiment une bonne, et avec des nerfs d'acier qui plus est !

Zhang était connu à juste titre comme l'un des meilleurs anatomopathologistes du pays. Le caractère de chiottes du petit homme presque chauve n'était pas non plus un secret. À la moindre question, à la plus bénigne suggestion, Zhang flairait l'abus policier et se retranchait agressivement derrière son honneur de scientifique. Si, au fil des collaborations, Cagney était parvenu à dresser la liste des indices qui annonçaient les crises colériques du légiste, il ne parvenait toujours pas à comprendre ni à prévoir ce qui les déclenchait. Il avait d'abord pensé qu'il s'agissait de la confrontation explosive entre l'essence de la culture chinoise, à laquelle Zhang était resté très attaché, et les nécessités occidentales auxquelles il acceptait parfois de se plier, mais le médecin était beaucoup trop subtil pour cela. La perspective de retravailler avec ce caractériel brillant n'enthousiasmait pas Cagney, surtout en ce moment. Il lâcha à regret :

— Bien, je suppose qu'une visite de courtoisie au docteur Zhang se justifie, surtout si nous voulons prouver à Harper que cette enquête ne nous concerne pas.

— Et le Boston PD ? demanda Glover en toussotant sur la dernière syllabe.

— Oh, mais nous irons également papoter avec vos petits camarades, Lionel. Localisez-moi Zhang.

Est-il toujours à Boston ou au Russel Building à Washington ? Quant à Da Costa et Gordon, remettons cela en début de semaine prochaine. Je pars pour San Francisco demain soir. Je ne reviendrai que dimanche, tard dans la soirée. Il y a le décalage horaire.

La perspective de ces deux jours et demi avec elle le détendit instantanément. Pourquoi restait-il ici, alors que tout le poussait là-bas ?

BOSTON, MASSACHUSETTS, 17 FÉVRIER.

Il contourna le piano à queue et s'avança vers le haut miroir qui couvrait tout le mur. Il aimait cette ombre tardive, le presque début de la nuit. Il n'allumerait pas encore. Il y avait quelque chose de liquide dans cette pénombre teintée du vert bronze des tentures qui obturaient les hautes fenêtres. Dans quelques minutes, il allumerait la multitude de grosses bougies parfumées au santal. Seule leur indécise clarté savait apprivoiser son ombre et celles de ses anges. Les éclairages artificiels sont d'une telle vulgarité...

Le Danseur se souvint. C'était à l'autre bout de la terre, le même piano, les mêmes bougies. Il était si petit à l'époque, mais tout lui revenait, l'éclat des gouttes de cristal des lustres piégés par les miroirs, les rires de femmes, l'odeur de la tubéreuse. Était-ce chez eux ? De cela il n'était plus certain, ils avaient tant bougé. Un convive en uniforme s'était installé devant le clavier. Les notes rapides, serrées, si gaies d'une sonate pour piano de Scarlatti avaient rempli la pièce.

Elle s'était immobilisée, une coupe de champagne à la main, le sourire de courtoisie qu'elle destinait à un autre officiel figé sur ses lèvres rouge sombre. Elle portait une longue robe de soie noire, pieds nus, comme toujours. Et soudain l'ange unique s'était éveillé. Elle avait tendu sa coupe. Le corps magique n'appartenait plus à rien ni à personne. Elle avait dansé, volé, aucune loi de la physique ne s'appliquant plus à elle. Elle était perfection et le monde se taisait. Un homme, un gros, avait sorti un large mouchoir pour s'essuyer les yeux. L'enfant, son fils, avait fondu en sanglots.

Plus haut. Cette barre devait être plus haut, tirer les muscles de l'aine jusqu'à la douleur, jusqu'à ce que les poils de son pubis se hérissent sous la tension, sous les décharges nerveuses. Seule la douleur enfante, seule elle est créatrice.

Il transpirait en dépit de la fraîcheur qu'il faisait régner dans le loft. Mal, très mal. C'est bien. On n'a pas le droit d'infliger la souffrance si on ignore son essence, son utilité. Du reste, il faut en être digne. Mais la souffrance doit avoir un but, devenir un outil de perfection. Le masochisme, s'il n'est pas un moyen de se séparer de la masse, relève de l'aliénation, ou alors d'une inepte recherche de plaisir. Grotesque, si lamentablement humain. Car qu'est la chair si ce n'est l'informe et improbable réceptacle du génie ? Dompter la chair, la plier, la façonner jusqu'à ce qu'elle se justifie, oblitère sa lourdeur, sa pesanteur organique. Manger peu, très peu. Aider la chair à s'alléger de l'intérieur. Le cul ? Certainement pas. Une obligation, jamais une dépendance. Cette déperdition d'énergie pure était bonne pour ces grosses connes qui ne pensaient qu'à s'empiffrer de vie. Elles avaient si peur de la mort, de la baignoire, de ses sourires. Elles avaient raison, bien sûr. Mais ses quatre anges ne deviendraient jamais comme elles. Il ne fallait pas, pas encore un échec, car le temps s'accélérait, devenait pressant. Il avait eu tant de peine à les découvrir dans le troupeau abruti sur lequel il régnait. Dieu qu'elles étaient belles, comme lui. Elles le regardaient danser, transpirer, souffrir, si sagement, leurs petites menottes si mignonnes serrées entre leurs genoux, environnées du bouillonnement de dentelles et de rubans de leurs robes. Si délicates et rose pâle. Elles ne pleuraient jamais, plus maintenant. Cela aussi, c'est une déperdition d'énergie qui le rendait fou. Elles l'avaient vite compris, les adorables chéries.

Lorsqu'il s'écroula, épuisé, le cœur au bord des lèvres, elles ne bougèrent pas. Elles attendirent que la syncope le lâche, c'est ainsi qu'il fallait faire.

Un jour, il mourrait ainsi, enveloppé des notes de musique saignées par un autre génie.

INSTITUT MÉDICO-LÉGAL DE BOSTON, MASSACHUSETTS, 18 FÉVRIER.

James Irwin Cagney patienta quelques minutes debout dans la salle d'attente aveugle de l'Institut médico-légal. La réceptionniste avait bafouillé quelque chose qui pouvait ressembler à : « Juste un instant, je vous prie. »

La même petite table basse en lattes de sapin était entourée des mêmes chaises inconfortables. Les mêmes piles de brochures, nettement arrangées, conseillaient le lecteur sur la conduite à tenir en cas de viol, d'inceste, de prostitution, de sida, de meurtre ou de toxicomanie. Les termes étaient clairs, pédagogiques, étudiés pour être compréhensibles par ceux dont la vie venait de voler en éclats, par ceux qui se cramponnaient pour ne pas s'effondrer en hurlant, par ceux qui étaient au-delà de toute compréhension. Des mots de souffrance et de mort, mais des mots étudiés ! Seule la plante agonisante avait disparu depuis sa dernière visite, sans être remplacée. Du reste, quelle étrange attention que de tenter d'égayer d'un peu de vitalité cet endroit, où des êtres anonymes attendaient qu'on leur rende un corps martyrisé.

La jeune femme réapparut et rougit en annonçant :

— Suivez-moi, je vous prie. Le docteur Drake et le docteur Zhang vous attendent. Je suis chargée de vous conduire.

À son ton, il sentit qu'elle s'en serait volontiers passée, sans toutefois bien comprendre sa réticence.

Ils empruntèrent l'ascenseur qui devait les mener jusqu'au quatrième étage, et la jeune fille garda le regard rivé sur la plaque en acier chromé d'où sortaient les boutons d'étage. Elle le précéda le long d'un couloir dont la moquette semblait digérer tous les sons, et s'arrêta devant une large porte, défendue par un Interphone. Elle sonna et annonça :

— M. Cagney, docteur.

Une voix exaspérée rétorqua d'un ton désagréable :

— Oui, je sais. Qu'il entre.

Cagney tourna la tête pour remercier la réceptionniste mais elle courait sans bruit au bout du couloir. Ce ne devait pas être tous les jours dimanche de travailler pour le docteur Barbara Drake !

Cagney pénétra dans le bureau lumineux. La grande femme brune et mince en blouse blanche se leva pour venir à sa rencontre, main tendue. Son visage était fermé, et Cagney s'en étonna. Barbara Drake savait admirablement manier les bavardages ainsi qu'une fausse mais agréable cordialité auprès des gens qui pouvaient lui servir. C'était indiscutablement une femme ambitieuse, peut-être même arriviste, mais pas plus que ceux qui l'avaient précédée, ici ou ailleurs dans le pays. Du reste, on n'obtenait pas ce genre de poste en se contentant d'exercer dans la confidentialité des salles d'autopsie. Le poste de médecin légiste expert d'un État est un poste politique. S'il exige les meilleurs anatomopathologistes, il requiert également une certaine finesse diplomatique. Sans doute était-ce une des raisons qui avaient poussé Zhang à s'attacher au FBI, plutôt qu'à viser une distinction que ses talents lui auraient valu. Cagney aurait parié qu'il ne savait pas épeler « diplomatie ». Zhang le regarda approcher du bureau de Drake, sans un sourire, tassé dans un fauteuil.

Barbara Drake désigna d'un geste de sa belle main carrée un autre siège, et son regard bleu glace lâcha celui de Cagney. Lorsqu'elle contourna son bureau, il lui sembla que son chignon banane avait une nuance encore plus foncée qu'à l'accoutumée. Peut-être cherchait-elle, elle aussi, à dissimuler les marques trop visibles de l'abandon des corps.

— Ça n'a pas l'air d'aller très fort, Barbara.

— En effet, James, je ne suis pas contente !

— Expliquez-moi tout.

Elle s'adossa brutalement contre le dossier de son fauteuil inclinable et réfléchit quelques secondes avant de répondre en soupirant :

— Soyons très clairs...

Cette entrée en matière fit involontairement sourire Cagney. Elle signale en général les gens qui éprouvent des difficultés à se dépêtrer d'une idée ou qui en craignent les conséquences.

— ... Je suis ravie de revoir mon cher confrère le docteur Zhang, et vous savez comme votre visite me fait plaisir. J'insiste avant toute chose sur le fait que ma volonté de collaborer avec le FBI n'a jamais fléchi, mais là... Là, je ne comprends plus. Je crois du reste, sans m'avancer trop, que le docteur Zhang est lui-même perplexe.

Le petit homme d'une soixantaine d'années redressa la tête et déclara d'un ton menaçant :

— Non, je ne suis pas perplexe, je suis agacé !

Les choses commençaient assez mal. Avoir un Zhang « agacé » sur les bras n'était déjà pas une sinécure, mais la colère rentrée de Drake impressionnait Cagney.

— C'est un peu vague pour l'instant, murmura-t-il.

— Ça ne le restera pas bien longtemps, ne vous inquiétez pas, rétorqua Drake.

Sa colère se laissa aller. Maintenant qu'elle avait intelligemment insisté sur sa bonne volonté vis-à-vis du FBI, elle ne risquait plus rien. D'une voix que la rage faisait trembler elle se lança, détachant chaque mot :

— Nous avons eu Andrew Harper, votre sous-directeur, sur le dos depuis deux jours. Dans le même temps, le capitaine Baker du Boston PD s'interroge sur l'implication, allez, disons l'ingérence du FBI dans une enquête qui n'a rien de fédéral. Mon personnel est à cran et en a marre de jouer les tampons entre le Bureau et les flics d'ici. Quant à moi, ils me prennent tous la tête et j'en ai ras la caisse, c'est clair ?

— Oh, très.

Zhang siffla d'un ton peste :

— Je suis d'accord avec ma consœur.

Il se leva brusquement et vociféra :

— Je ne suis pas à la botte de ces messieurs, je suis un scientifique et un médecin, pas un esclave de Harper ! Mais pour qui il se prend, cette espèce de grande andouille myope et inculte ?

Si la diatribe virulente de Barbara Drake l'avait embarrassé, les vociférations de Zhang donnèrent à Cagney envie de rire. Il se contenta de répondre d'un ton plat :

— Harper est indiscutablement myope, comme vous et moi, du reste. J'y ajoute l'astigmatisme. Quant à son inculture et son andouillerie, je vous en laisse seul juge. Je serais aussi sincère que vous, Barbara. La réaction de Harper nous a également surpris. Je pense qu'elle est motivée par une inquiétude de père.

Elle le regarda comme s'il venait de proférer une obscénité et cria presque :

— Je m'en fous, mais alors je m'en tape, de sa petite gonzesse, à Harper ! Non, mais où on va, là ? L'amie de Melle Harper fait un caca nerveux parce qu'une pauvre gosse se fait buter en pleine rue, et le monde s'arrête ?

La rage la fit tousser, mais elle reprit :

— Vous savez combien j'en vois tous les jours ? Vous savez combien de gosses explosés m'arrivent chaque matin, combien de petits vieux morts de froid ou de négligence ? Combien de femmes tabassées à mort ? Ceux-là, qu'en disent miss et papa Harper ? Rien, ils s'en foutent ! Ils ne s'en doutent même pas. Quoi, le sang de la gamine égorgée a taché la carrosserie de la belle bagnole de l'amie en question ? Ça se lave. Elle doit même avoir un employé pour s'en charger.

Elle inspira bruyamment et se leva en hurlant :

— Mais ils m'emmerdent, ces cons !

Elle se rassit aussi soudainement et s'excusa :

— Je suis désolée. Je me suis laissée emporter. Ça m'arrive rarement, enfin maintenant. Je vous demanderais, comme une faveur, James...

— Rien ne sortira d'ici. C'est une parole. Et... rien, ce n'est rien.

Un silence s'installa dans la grande pièce. Elles étaient jolies, ces petites aquarelles que Barbara Drake avait préférées aux lourds cadres étalant ses innombrables diplômes aux yeux de ses visiteurs. Une ambitieuse autoritaire, sans aucun doute, mais quelqu'un qui n'avait pas oublié quelque chose de très vieux, qui lui faisait toujours mal, lui rappelant son humanité.

Cagney ignorait ce qu'était cette chose, mais pour la première fois, elle lui rendit Barbara proche.

Il rompit le silence :

— Je dois voir Baker, ainsi que les flics chargés de l'enquête, lundi prochain, mais je voulais vous parler avant. Selon vous, le meurtre de cette femme, vous avez dit gamine, serait passé inaperçu, enfin, je veux dire, des services fédéraux, si elle n'était pas morte dans les bras de l'amie de Whitney Harper.

Le docteur Drake avait retrouvé sa maîtrise professionnelle.

— Oui. J'ai fait l'autopsie à la demande du Boston PD, je veux dire en personne. Le docteur Zhang est arrivé hier et il l'a doublée. Nos conclusions, consignées en aveugle, je le précise, sont une vraie photocopie.

— En aveugle ?

— Oui. Nous n'avons jamais parlé du corps. Je n'ai même pas mentionné son sexe. Mon confrère est arrivé. Un de mes assistants l'a conduit à la salle d'autopsie. Il a rédigé son rapport seul dans un bureau. Nous ne les avons comparés qu'ensuite. C'est la procédure que nous utilisons pour éviter toute influence, tout biais, même inconscient.

— J'aimerais quelques détails.

— Je vous ai fait préparer une photocopie de nos rapports. En bref, c'était une très jeune fille, une quinzaine d'années, caucasienne, blonde, yeux bleus. Rien qui puisse nous aider en vue d'une identification. Je dirais que son état de santé et nutritionnel n'était pas glorieux, sans que rien ne signe une pathologie quelconque. Elle était enceinte de sept mois environ, si on se réfère au poids, mensurations du sommet du crâne au coccyx aux talons – c'est la mesure en deux segments qui nous aide, entre autres, à déterminer l'âge d'un fœtus, avec la circonférence crânienne – mais également aux points d'ossification des vertèbres cervicales et sacrées et au calcanéum du talon. On précisera tout cela à l'histologie. C'était un petit garçon.

— La cause de la mort ?

— Exsanguination, ça a vidé le bébé du même coup, on n'a pas pu le récupérer. Du reste, ou l'agresseur est un chanceux ou il connaît l'anatomie humaine.

— C'est-à-dire ?

— En général, les plaies à la gorge sont assez circulaires, d'une oreille à l'autre, si je puis dire. Il est vrai que ce type de blessures correspond à une attaque dorsale. Le meurtrier tire la tête de sa victime vers l'arrière et tranche la gorge en suivant la ligne du cou. Là, de toute évidence, l'attaque était frontale, elle se tenait debout face à lui. Or l'entaille est d'une longueur modeste, cinq centimètres, mais très profonde et double. Et pile sur l'artère carotide qui, je vous le rappelle, court le long de la face droite du cou et remonte vers le cerveau.

— En d'autres termes, ou c'était un gaucher ou il savait précisément où frapper et son intention était de tuer vite.

— Juste. Mais cela n'exclut pas le gaucher.

— Bien sûr. Elle a mis combien de temps à mourir ?

— Oh, il est difficile d'être précis. Au maximum cinq minutes pour se vider de son sang. Mais nous parlons d'une artère, c'est-à-dire d'un tuyau qui véhicule le sang au rythme des pulsations cardiaques. Selon ce qu'on sait, la fille a été agressée dans une contre-allée obscure. Elle s'est précipitée vers l'avenue dans l'espoir d'y trouver du secours. Elle avait peur et fournissait un effort physique intense, donc son rythme cardiaque était très accéléré. Les quatre litres et demi de sang se sont échappés de la plaie sous la pression des contractions du muscle. À mon avis, deux-trois minutes à peine, difficile d'être plus précise.

— En d'autres termes, nous n'avons pas affaire à un meurtre sadique, puisque la mort était programmée pour survenir le plus vite possible. Ça nous laisse avec un crime passionnel, ou de peur, ou une exécution. Je comprends le choc de l'amie.

Barbara Drake soupira :

— Mais moi aussi, monsieur Cagney, sa crise de nerfs, sa réaction, comme celles de la fille de Harper, sont à leur honneur. Ça prouve que ces petites jeunes femmes, si protégées, si nanties, sont capables de compassion. Ce qui me fait... de la peine, oui, c'est cela, c'est que Harper ne s'affole pas pour cette gamine égorgée, il s'inquiète de sa fille, de la meilleure amie de sa fille. Nous en avons des dizaines comme elle. Celle-ci ne devra le soin posthume dont les meilleurs spécialistes du pays l'entourent, dont les plus hautes instances fédérales font preuve, qu'à la crise de nerfs d'une gentille petite fille riche. Oui, c'est cela qui me fait mal.

Et il vit les beaux yeux bleus devenir liquides et baissa le regard. Elle lui en voudrait, plus tard, s'il pouvait témoigner de son moment de faiblesse. Barbara Drake n'était pas une femme qu'un presque étranger prend dans ses bras pour la consoler. Dommage pour elle, dommage pour eux tous.

Il détailla l'aquarelle située sur le mur de droite. Un joli petit bateau à voile, amarré à un ponton, qui aurait pu être de partout. Zhang promenait un index inquisiteur sur le pli de sa jambe de pantalon, comme si son avenir en dépendait. Lorsqu'elle toussota, les deux hommes comprirent qu'elle s'était récupérée, loin, très loin.

— Voyez-vous, des petits trucs nous ont étonnés, le docteur Zhang et moi-même.

Celui-ci sauta sur l'occasion pour se manifester :

— Oh, doucement, doucement, ma chère consœur. Il convient de demeurer très prudent avec ces gens, toujours à tirer des conclusions hâtives et non scientifiques et surtout à nous les coller sur le dos.

Elle se rétracta instantanément derrière la paranoïa galopante de son confrère. Cagney intervint :

— Je le prends comme vous me le dites. Des suppositions, de vagues, très vagues pistes sans fondement scientifique.

Il surprit le regard d'acquiescement entre les deux légistes.

— C'est cela, c'est exactement cela, renchérit-elle. Qu'il soit clair qu'il ne s'agit que de… enfin presque des intuitions. La jeune fille était très bien habillée, dans le genre classique, petite bourgeoisie provinciale. Très peu maquillée. Elle se camait et depuis pas mal de temps, c'est évident aux traces de piqûre à la pliure des coudes, aux chevilles et sous la langue. La toxico confirmera. Elle n'était pas en bon état. Bien que nous ne puissions rien affirmer, on dirait une gamine qui a fugué de chez elle – une gentille petite famille – depuis pas mal de temps, et qui n'a pas vraiment rencontré le prince charmant.

— C'est tout ce que vous pouvez me dire ?

— C'est tout. Pas grand-chose. Tenez, voici nos rapports. Je suis désolée, James.

SAN FRANCISCO, CALIFORNIE, 20 FÉVRIER.

Le temps, ou plutôt la relativité de son déroulement, commençait à lui poser un inextricable problème. Cagney était arrivé devant la lourde porte double en bois blond quarante-huit heures plus tôt, déjà. Où étaient passées toutes ces heures ? Dire qu'il n'avait pas pensé à Quantico, aux dossiers, aux longs couloirs aveugles qui reliaient entre eux, comme des métastases, les bureaux sans lumière extérieure aurait été mentir. Mais leurs incursions dans son esprit avaient été si sporadiques, si inattendues presque.

Mince, qu'avaient-ils fait ? Il fallait s'en souvenir pour s'y accrocher durant les soirées qui le séparaient de son retour ici, dans cette immense maison luxueuse, flanquée de chaque côté par un jardin d'hiver dans lesquels Gloria s'aventurait rarement, sans doute parce qu'elle n'y pensait pas. Il finissait par comprendre la passion de Gloria pour les maisons, SA maison, sa tanière, l'endroit où vivre et se reposer enfin. Lui n'avait que transité dans des lieux. Cette prétentieuse villa qu'il avait occupée avec son ex-femme, Tracy, et qu'il lui avait abandonnée avec un certain soulagement lors de leur divorce, cet appartement dans lequel il passait maintenant. Il avait envie de déposer ses marques ici. Envie que sa brosse à dents occupe une place réservée sur le petit meuble bas de la salle de bains, que ses livres traînent un peu partout, que ses vêtements pendent dans le dressing en permanence. Le seul endroit qu'il ne devait pas investir était le bureau de Gloria, il le savait. Il pénétrait en visiteur dans cette immense pièce, sans doute la plus vaste de la maison. Le bureau d'érable, dont l'épais plateau incurvé soutenait trois ordinateurs, marquait le domaine de Gloria. Les murs d'un jaune bouton-d'or, les bibliothèques bourrées d'ouvrages, le long desquelles s'alignaient des files de compact discs, tout cela disait Gloria, et interdisait l'invasion.

Où étaient passées toutes ces heures ?

Donc, il était arrivé, vendredi soir, fatigué mais heureux. Elle avait commandé un repas thaïlandais et l'attendait. La banalité domestique de ces premières minutes lui avait fait un bien fou. Il avait été cérémonieusement présenté au chiot qui s'était immédiatement attaqué aux pompons de ses mocassins. Le manque de fermeté de Gloria lorsqu'elle l'avait grondé l'avait amusé. Charlie, ainsi avait-elle décidé de le baptiser. Lorsqu'il s'était étonné de l'orthographe féminine du nom, elle avait précisé qu'il s'agissait de souvenirs : celui d'une poupée de chiffon que son père lui avait un jour offerte – à nattes de laine rouge, avait-elle précisé – et d'une marque de caramels mous dont elle raffolait enfant. Cagney avait compris que c'était avant, bien avant ce beau-père violeur et rieur, et n'avait pas posé de question.

Elle soupirait souvent, à moitié allongée sur l'un des canapés, et il avait cru l'ennuyer :

— Non, avait-elle souri. C'est mon ventre qui commence à me gêner. Je n'ai pas l'habitude de ce poids. Continue.

Il avait bafouillé, désarçonné par cette constatation, tellement inattendue de sa part. Elle reconnaissait son ventre, son existence. Ils avaient bavardé quelques heures, ri aussi, Ringwood et son amaigrissement devenant l'objet de plaisanteries.

— Tu crois qu'il regrossira ?

— Bien sûr, c'est un gourmand. Si tu voyais ses yeux au self lorsqu'il passe devant les pâtisseries... On dirait le loup de Tex Avery devant une pulpeuse.

Elle semblait avoir oublié son antipathie pour Richard depuis qu'il avait entrepris son combat désespéré contre les calories. « Antipathie » était du reste un mot abusif. Gloria aimait si peu qu'elle était presque incapable de détester. Cagney n'avait pas osé évoquer Morris, son retour à la base. Pas encore.

Elle s'était redressée soudain et avait tapé dans ses mains, ce qui avait réveillé le chiot en sursaut :

— Surprise, surprise... J'ai obtenu, au péril de ma vie, deux places pour le ballet de Jin Xing qui se produit pour trois jours à l'Opéra. Je ne te dis pas la foire d'empoigne, j'ai cru que j'allais me faire tailler un short. J'ai poussé mon ventre en avant en soufflant beaucoup, cela a ému nombre de mes concurrents.

— Jin Xing, « la plus extraordinaire danseuse chinoise », c'est cela ?

— Elle-même. En fait, je crois que l'affluence hystérique ne tient pas qu'à son talent. Et pourtant, il paraît que cette fille est un vrai miracle.

— Non, je crois que le fait qu'il s'agisse d'un transsexuel y est pour quelque chose. Rends-toi compte, un ancien colonel de l'armée populaire de libération, ça fait saliver les petits bourgeois. C'est mieux que la femme à barbe et en plus, celle-ci est très jolie et bourrée de grâce.

— Alors, ça te fait plaisir ? Nous y allons demain soir.

— Tout me fait plaisir avec toi, Gloria. En fait, je suis désolé de te dire cela, mais je suis accro. Je vis mal lorsque tu n'es pas là.

Elle s'était laissée glisser du canapé, une main plaquée sur le ventre. Empêtrée dans les pans de son lourd kimono de soie pêche, elle était tombée sur lui. Il avait crié :

— Tu n'as pas mal, n'est-ce pas ? Ça va, hein, réponds-moi !

Un fou rire avait plaqué Gloria contre le torse de cet homme qui lui devenait essentiel. Elle avait hoqueté :

— Que tu es bête, ça ne se casse pas comme cela, une femme enceinte ! Attends, la bretelle de mon soutien-gorge a sauté.

Il avait pouffé à son tour :

— Laisse, je vais t'aider.

— Menteur.

— Oui.

La suite lui échappait un peu. Il avait commencé à la caresser, doucement, comme une porcelaine précieuse. Ce ventre, ces seins un peu plus lourds le rendaient fou, et il tremblait de se contraindre à les effleurer du bout des doigts. Et puis, Gloria s'était énervée. Elle s'était agenouillée sur lui, emprisonnant ses hanches entre ses mollets, le forçant à l'intérieur, toujours plus loin, toujours plus fort. Le reste avait été une suite désordonnée, une sorte de zone ternaire où se mêlaient l'infinie douceur et la violence des corps, des désirs, des besoins. À un moment, elle avait crié en se plaquant sur lui. Et il avait compris à la pression de ses ongles sur ses flancs, à ses talons qui marquaient le creux de ses genoux, que ce cri était pour lui.

Ils avaient déjeuné et passé l'après-midi avec Clare. La présence de James commençait à faire partie de son environnement. Elle se promenait avec lui main dans la main, le tirant lorsqu'une urgence la poussait soudain vers un coin du parc, ou devant l'aquarium du hall. Il était parvenu à adopter le rythme de ses phrases, et cette langue étrange et répétitive lui devenait si familière qu'elle ne lui demandait plus aucun effort de concentration.

Lorsqu'ils étaient rentrés, il avait demandé, conduisant d'une main, l'autre collée entre les genoux repliés de Gloria :

— Quand vas-tu lui en parler ?

— Lundi. Lorsque tu seras reparti. Je ne lui parlerai pas de toi. Il vaut mieux que ce bébé soit d'elle et de moi. Il faut que tu comprennes.

Parce qu'elle prononçait le mot de « bébé » pour la première fois devant lui, parce qu'il avait trop ramé pour oublier jamais que les marques communes d'appropriation ne pouvaient pas fonctionner avec Gloria, il avait menti :

— Je comprends. Ce n'est pas important, vraiment.

Elle avait posé sa tête contre son épaule, et il avait eu envie d'arrêter la voiture et de s'endormir contre son front.

Charlie avait massacré un des coussins de chintz du canapé, et les regarda avec des yeux ronds et réprobateurs lorsqu'ils rentrèrent. Gloria avait ensuite travaillé quelques heures, sans vouloir bien sûr lui donner aucune indication sur la nature de son contrat ou l'identité de ses « employeurs » du moment. Installé dans le grand salon, Cagney avait lu péniblement quelques pages de l'excellent journal de Dirk Bogarde sur ses années de villégiature française. L'étrange silence qui régnait dans la maison le troublait, mais dans un sens joyeux. On aurait dit que les sons attendaient sagement qu'on leur permette de réinvestir l'espace, et il s'était surpris à chercher lequel pénétrerait le premier. Les premières notes du *Stabat Mater* de Pergolèse l'avaient fait sourire. Et puis, elle avait dû sélectionner une autre plage du CD, et une voix féminine avait cascadé dans la prière passionnée d'un *Sancta Mater*. Sans doute une sorte d'*ex-voto* pour Gloria, la consécration d'un succès. Il finissait par se repérer dans toutes ses musiques, chacune ayant un sens particulier, comme des déclarations. Il avait perçu le bruit léger de ses pieds nus sur les marches de bois brut de l'escalier.

— Tu as trouvé, n'est-ce pas ?

Elle avait souri :

— Presque. C'est quoi, de la télépathie ?

— Malheureusement non, mais sans cela tu aurais choisi un autre morceau.

Elle avait froncé le front et déclaré, poings sur les hanches :

— Parce que les profils psychologiques marchent aussi sur des gens comme moi ?

— Tu es mon plus beau sujet d'expérimentation, un des plus retors aussi.

Le ballet, une mise en scène du *Carmina Burana* de Carl Orff, avait provoqué une de ces petites émeutes amicales et luxueuses dont l'Opéra de San Francisco a l'habitude. De nombreux artistes choisissent cette ville comme unique lieu de leur passage, le préférant à New York, Washington ou Boston. Tout le monde voulait y être et s'y faire voir. On s'apostrophait en riant, on se saluait parce que le monde des riches et des puissants est une île minuscule toujours en mouvement, mais perpétuellement reconstituée : « Ah, vous êtes arrivés à temps de

L.A. ? Mais je vous croyais à Long Island ? Nous repartons à Vancouver après la représentation. »

Le Jin Xing Dance Theatre avait été à la hauteur de sa réputation. Si quelques regards protégés de jumelles s'étaient d'abord accrochés à l'entrejambe de l'étoile pour y vérifier la disparition de toute marque de virilité, son génie avait emporté l'enthousiasme d'un public pourtant difficile à conquérir. Gloria s'était surprise à frissonner tant la grâce, l'élégance de la mince jeune femme chinoise défiaient les lois de la pesanteur, l'air semblant trop léger pour la retenir. Mais il y avait autre chose de presque imperceptible. L'ancienne puissance de ses muscles d'homme demeurait sous la peau fine, enlevant son poids à ce corps, le tirant de l'inertie, le poussant au-delà de l'attendu. Jin Xing dansait ailleurs, elle dansait dans l'amalgame de la force et de la souplesse, de la puissance et de l'élégance.

Une véritable folie avait secoué le public après le baisser du rideau. Ils venaient d'assister à une sorte d'exception inventée pour eux par un être plus autoritaire que les fameuses lois de la nature, et ils en avaient conscience. Le Jin Xing Dance Theatre avait été ovationné, debout, durant de longues minutes.

James et Gloria étaient ensuite rentrés vers la grande demeure, le silence qui avait régné tout le voyage dans l'habitacle du lourd mais élégant Dodge Durango les détendant. Elle avait juste murmuré :

— Étrange, n'est-ce pas, que l'on comprenne de façon quasi animale que l'on est témoin de quelque chose d'unique ? Tu sais, la première fois que j'ai vu « en vrai » *Les Iris* de Van Gogh, j'ai fondu en larmes. Je me suis retrouvée comme une gourde au milieu de cette grande salle du Met, incapable de me calmer. C'était une réaction si brutale, si inattendue, je veux dire, je les avais vus cent fois dans des ouvrages ou même sur des cartes postales.

Elle avait nourri la petite bête, un index menaçant pointé vers lui parce qu'il avalait tout en un éclair, lui précisant : « Charlie, tu vas être malade, tu es un goinfre. » Cagney avait confectionné pour elle ses pâtes au basilic et à la tomate, et l'avait encore fait sourire de ses sorties péremptoires sur la cuisson des tagliatelles. D'un ton docte, elle avait commenté :

— Oh, elles sont sublimes, si, j'insiste ! Mais dis-moi, tu as d'autres recettes en magasin ?

— Si, si, signorina. Des spaghettis au basilic et à la tomate, des penne au basilic et à la tomate, des fetuccini au basilic et à la tomate et… ça va bien avec le riz, aussi.

— Quel festival, j'aime la variété.

Ils s'étaient ensuite installés sur l'un des canapés et la façon évidente dont elle s'était couchée en creux, dans lui, lui avait fait fermer les yeux d'apaisement. Il tenait précautionneusement son verre de vin dont le pied était posé en équilibre sur l'épaule de Gloria, et il avait senti au poids de ses fesses contre ses genoux repliés, à son souffle qui s'espaçait, qu'elle s'endormait. Une sorte de petit bruit de salive l'avait intrigué, et il avait remarqué avec un désagréable pincement qu'elle suçait son pouce droit. Avait-elle sucé son pouce enfant ?

Elle s'était réveillée en sursaut quelques minutes plus tard, et avait gémi en ouvrant les yeux.

— Chut, tout va bien ! Tu t'es endormie contre moi.

Le grand regard vide et affolé s'était à nouveau empli de lumière, et elle s'était levée, caressant au passage la petite tête carrée de Charlie.

— Je faisais un mauvais rêve.

— Ce n'est que cela : un rêve.

Il avait hésité, et précisé :

— Tu suçais ton pouce.

— Ah bon, et tu trouves cela un peu régressif, n'est-ce pas ?

Il s'était forcé à sourire :

— Non, ce sont les mauvaises langues qui disent cela. En fait, c'est plutôt une boucle parfaite : ta bouche, ton pouce, de toi à toi. Ça ne transite par personne d'autre.

Elle lui avait jeté un regard amusé, mais avait rétorqué du ton sérieux de la bonne élève :

— Ah, le pouce comme élément masturbatoire, nous y voilà ! Alors, je suis une adepte de l'auto-érotisme, parce que, pour tout t'avouer, j'ai sucé mon pouce jusqu'à l'âge de vingt-cinq ans. Ça m'arrivait même en public, je me cachais derrière ma main. Ça rendait Hugues hystérique.

La simple évocation de l'ancien professeur de Gloria lui avait fait abandonner le sujet.

Dans quelques heures, elle le raccompagnerait à l'aéroport international de San Francisco. Dans quelques heures, une interminable semaine se profilerait.

Attendre encore un peu et puis lui expliquer. Quoi : qu'à presque cinquante-sept ans il savait maintenant qu'il avait sauté d'un bout de sa vie dans l'autre, qu'il n'avait été que spectateur de toutes ses années, qu'il voulait enfin vivre parce que le temps est si court. Tenter de lui faire admettre que vivre c'était elle, et qu'il n'avait plus de temps à perdre sans elle.

Oui, mais attendre encore un peu.

BOSTON POLICE DEPARTMENT, BOSTON, MASSACHUSETTS, 21 FÉVRIER.

Cagney et Glover pénétrèrent dans le grand hall du Boston PD et déclinèrent leur identité au petit bureau de filtrage derrière lequel était installée une flic souriante et toute jeune.

— Baker doit nous attendre, nous sommes un peu en retard.

— Quiconque emprunte ce foutu Callahan Tunnel est en retard, ça devient un pléonasme.

Glover faisait référence à ce long boyau qui reliait Logan Aiport, où leur avion avait atterri presque deux heures plus tôt, à Boston. Il ajouta :

— En plus, je trouve que l'endroit ressemble de plus en plus à un décor de film catastrophe. Vous voyez, coincés par un accident et un début d'incendie.

— Merci de m'avoir épargné lorsque nous étions bloqués à l'intérieur.

Ils traversèrent rapidement le grand hall, sans même penser à lever le regard vers les plafonds peints en pur style pompier de bergères rosées, alanguies devant un cours d'eau, souriant à un jeune homme enrubanné, ou caressant du bout des doigts un mouton neigeux. Un charme désuet, étonnamment déplacé et inutile en ces lieux. Ils empruntèrent l'ascenseur dont la vilaine cage métallique verdâtre avait mis fin à l'élégante carrière de la nacelle de bois et de fer forgé qui l'avait précédée.

— On les rencontre ensuite ? C'est cela ? demanda Glover en faisant allusion à Da Costa et à Gordon.

— Oui.

— Vous leur avez parlé ?

— Non.

— Il aurait peut-être mieux valu.

Agacé parce qu'il n'avait pas tort, Cagney rétorqua d'un ton sec :

— Écoutez, Glover, de toute façon, il y a de grandes chances pour qu'ils nous tirent la gueule, donc nous n'en sommes plus à une discourtoisie près. Non, c'est plutôt Baker qui m'ennuie. Vous connaissez mieux que moi votre ancien patron : c'est un type bien et un bon flic. Notre visite frise l'ingérence.

— Frise ?

— Inutile de me faire un dessin, merci, Glover !

— Excusez-moi, monsieur.

Paul Baker les attendait, le dos collé à la fenêtre. Il sourit à Cagney mais son regard ne fit qu'effleurer Lionel Glover. Le vieux flic n'avait pas digéré sa désertion, puisque c'est ainsi que ce genre de mutation reste gravé dans l'esprit des « collègues ».

— Comment allez-vous, Paul ?

— Bien, depuis que j'utilise ces petits sachets de sable chauffant, ma sciatique me lâche un peu.

— Ça marche pour les cervicales ?

— Oui, je vous donnerai le nom, c'est génial et en plus, pas de médicaments à avaler.

Cagney demanda ensuite des nouvelles de madame et de la toute nouvelle petite fille que venait d'avoir le fils aîné de Baker. James Irwin Cagney se faisait une obligation professionnelle et personnelle de mémoriser toutes ces petites choses, parce qu'elles permettent de pénétrer doucement dans la vie des autres, de les rassurer sur une homologie, dans son cas assez lointaine, bref de leur faire croire que l'on est finalement du même bord.

Paul Baker était un de ces flics à l'ancienne mode, un pro qui avait grimpé toute la hiérarchie grâce à ses états de service. Bref, pas le genre auquel on la jouait, d'autant qu'il se méfiait ou peut-être même jalousait les petits jeunes qui débarquaient bardés de diplômes, et qui l'ouvraient trop grande. Ceux-là n'avaient pas encore compris qu'il vaut souvent mieux la fermer, par décence ou simplement par prudence.

Cagney avait un certain respect pour lui, mais d'un autre côté, il était hors de question qu'il manifeste devant un tiers, même un flic, les réserves que lui suggérerait l'obstination de Harper. Ne jamais faire confiance à quiconque, sauf peut-être à ceux qui sont embarqués sur la même galère que vous et qui savent qu'un naufrage les concerne aussi. Baker tenta pourtant de le pousser dans une sorte de connivence, tout en continuant d'ignorer Lionel Glover :

— Enfin, James, c'est quoi ce merdier ? Harper ne sait pas que le Département de police de Boston est un des plus gros effectifs de police métropolitaine ?

— Si, sans doute. Il pense avoir flairé quelque chose.

— Flairé quoi et avec quel pif ? Harper n'est pas un flic, c'est un politique, et vous le savez comme moi. On passe pour des cons dans cette histoire, et ça ne nous plaît pas.

— Écoutez, Paul, ma venue ne constitue pas la première prise en main de l'enquête. Disons que nous venons nous assurer que tout ceci ne nous concerne pas. Harper est loin d'être un abruti. Si vraiment, il n'y a rien pour nous là-dedans, il lâchera le morceau.

Baker laissa échapper un long soupir et conclut :

— Bon, je suppose qu'il faut en passer par là.

— Je crois que c'est le plus efficace, en effet.

Le capitaine Baker regarda sa montre et annonça :

— Da Costa et Gordon vous attendent dans la salle de briefing. Vous vous souvenez où c'est ?

— Oui, inutile de nous accompagner. Merci, Paul.

Ils se tenaient comme cette première fois où Cagney les avait rencontrés, assis, épaule contre épaule, cherchant à minimiser l'espace qui les séparait, et au contraire à élargir celui qui les protégeait de l'extérieur. Même l'impressionnante carrure de Bob Da Costa semblait perdue au milieu de cette grande salle laide, terminée d'une longue estrade au-dessus de laquelle était scellé le tableau noir sur lequel on récapitulait les affectations de la journée.

Glover s'installa en face de Da Costa, et Cagney de la jeune femme. Les yeux marron tièdes de Squirrel le fixaient, pas une fois son regard n'avait dévié vers Glover, et Cagney songea qu'il ne devait pas lui être indifférent. Quant à son adjoint, à moins de le pincer avec sauvagerie, il semblait décidé à conserver son mutisme durant toute l'entrevue.

Cagney s'attendait à une charge furieuse de la part de la jeune femme, mais il n'en fut rien. Elle patientait, silencieuse mais vigilante, le meilleur moyen de décontenancer un vis-à-vis.

— Je pense que le capitaine Baker vous aura mis au courant des raisons de notre visite. Nous souhaitons vérifier avec vous si l'enquête concernant le meurtre de cette jeune fille, pour l'instant sans identité, survenu le 15 février au matin, nous concerne, répéta Cagney d'un ton las.

Elizabeth-Ann Gordon regarda son partenaire et déclara d'un ton glacial mais poli :

— Nos fichiers sont à votre disposition. Vous y trouverez le rapport d'autopsie du docteur Drake, confirmé par le docteur Zhang, le résultat des recherches faites auprès du fichier central des MPB, et dans la banque de données du VICAP, à laquelle vous avez encore plus facilement accès que nous. Bilan : rien ! Cette fille n'est signalée nulle part, n'a jamais fait l'objet d'une déclaration de disparition, ni d'une arrestation, et rien ne permet de l'identifier. Venez, nous allons vous montrer, hein, Bob ? Si vous voulez nous suivre...

— Inutile, je vous crois. Qu'allez-vous faire ?

— Ce qu'on fait d'habitude, comme vous le confirmera notre ancien collègue, dit-elle en désignant d'un geste Glover, toujours sans l'effleurer du regard.

Lionel Glover lâcha d'un ton morne :

— Se balader avec la photo de la gamine dans tous les quartiers pourris en espérant que quelqu'un la reconnaîtra.

— Juste, commenta Gordon d'un ton sec. Maintenant, si le FBI veut nous accompagner en promenade, vous êtes les bienvenus... Plus on est de fous...

Cagney comprenait son aigreur, mais d'un autre côté, ce qu'il pensait vraiment ne la regardait pas :

— Je ne crois pas que ce genre de persiflage vous aide beaucoup, Gordon.

— Sans blague ? Au moins, ça me calme les nerfs.

— Les douches froides, il paraît que c'est bien aussi.

Elle se leva et le toisa de sa petite taille. Il comprit que seule son appartenance au Bureau lui épargnait la bordée d'injures qu'elle retenait derrière ses lèvres pincées.

Ils déjeunèrent rapidement dans un petit restaurant de Hanover Street qui ne servait que des pizzas, accompagnées, comble du luxe, d'un verre de vin rouge italien. Le silence massif de Glover finissait par taper sur les nerfs de Cagney.

— Il vaudrait sans doute mieux vider votre sac tout de suite. Pour ne rien vous cacher, cette histoire me prend déjà assez la tête comme cela !

Lionel Glover le fixa de ce regard si doux derrière lequel passaient tant de choses, et commença :

— J'ai dû rater un épisode, parce que je n'ai pas compris le coup.

— Pardon ?

— Oui, je n'ai pas compris ce que l'on venait foutre ici. Je veux dire, on ramène notre fraise en emmerdant Baker et deux bons flics, on papote, et puis ciao et on se tire ? C'est quoi, cette histoire ?

— Précisément cela : rien. On a fait dans la caisse toute propre que nous indiquait Harper, il n'y avait rien et il nous fout la paix. Ensuite, nous passons aux choses sérieuses.

— Ouais, la gamine s'est quand même fait descendre !

— Il ne s'agit pas d'un crime fédéral. On nous reproche assez de fourrer notre nez partout, Glover !

Une lassitude extrême envahit Cagney dans le taxi qui les raccompagnait à Logan Airport. Marre, il en avait marre. Où s'en était allée cette sorte de passion qui l'avait tenu durant toutes ces années ? La conviction qu'il faisait partie de ces infimes détails qui, mis bout à bout, peuvent modifier le cours du monde, lui avait permis de traverser un univers peuplé d'horreurs sans jamais reculer. Sa prétention le faisait frémir. Rien, il n'avait rien contribué à changer. Les tordus qu'il parvenait à retirer du circuit étaient aussitôt remplacés par d'autres. Un vain et pathétique combat dans lequel ne demeurait même plus l'instinct de la chasse, cette euphorie qui le prenait, le nettoyait de sa fatigue lorsque la curée s'annonçait.

Admettre que l'on ne changera pas le monde ? Après tout pourquoi pas, pourvu qu'il ne nous change pas. Et soudain la honte lui fit tourner la tête vers le long boyau de ciment gris sale du Callahan Tunnel. Il avait tout fait pour que cette gamine égorgée reste dans un des tiroirs glacials de la morgue de Boston, tout fait pour qu'elle ne sorte jamais des fichiers du Boston PD. Même pas par lassitude ou par paresse, juste pour donner une leçon à Harper, l'humilier, lui démontrer qu'il n'était pas le plus fort. Son imbécillité mesquine le pétrifia. Le monde était-il parvenu à le transformer ?

Cagney se tourna à nouveau vers Glover et lâcha d'un ton mauvais :

— Vous me gardez quand même un œil sur cette affaire, on ne sait jamais... Même si Baker ou Mlle Squirrel doivent nous en faire un caca nerveux !

Peut-être parce qu'il tirait la gueule depuis le matin, le lent sourire de Glover le rassura.

SAN FRANCISCO, CALIFORNIE,
24 FÉVRIER.

Gloria Parker-Simmons gara son Dodge Durango non loin de Castro. Elle avait été contrainte de rendre visite à Clare ce matin, en raison d'un important rendez-vous professionnel à quinze heures, dans Henry Street, non loin de là. C'était aussi l'excellente raison qu'elle avait trouvée de repousser cette conversation qu'elle devait avoir avec la jeune fille et qu'elle fuyait depuis le début de la semaine. Demain, demain, elle lui parlerait. De toute façon, même Clare s'apercevrait bientôt de quelque chose.

Se concentrer pour le moment sur sa réunion de l'après-midi, sur ce compte rendu brillant qu'elle délivrerait, sur ce gros chèque qui rémunérerait son travail. À première vue, l'énoncé de la question posée par l'industriel lui avait paru d'une rare simplicité : « Quelles sont les attentes santé des consommateurs en matière de produits laitiers et comment y répondre ? » Quelques jours plus tard, devant la masse de paramètres à traduire en équations, elle devait déchanter. Les données mélangeaient économie de la consommation, qualités organoleptiques, possibilités industrielles, législation, critères nutritionnels et toxicologiques, et symboles. D'un autre côté, le cours de nutrition accéléré auquel elle s'était astreinte l'avait contrainte à admettre que de suicidaire, son anorexie devenait meurtrière. Mais manger après tant de temps était si difficile. Elle avait acheté des tas de provisions au supermarché, consultant une liste dressée comme un protocole scientifique, mais la vue de ces victuailles entassées dans le réfrigérateur ou dans les placards lui soulevait le cœur.

Elle était parvenue à s'absoudre de sa propre mort, tout en évitant soigneusement le suicide parce que si l'état de non-vie la fascinait, l'acte de mourir la plongeait dans une peur panique.

Donc manger c'est vivre. Ne pas manger c'est mourir. Je suis ce que je mange, je deviens ce que j'ai mangé. Si j'aime ce que je mange, suis-je contrainte de m'aimer ? Ai-je envie de m'aimer ?

Gloria était trop lucide pour se leurrer sur son anorexie, même si elle ne tolérait d'en discuter qu'avec son cerveau. Quel bel exercice de dressage, de maîtrise d'un corps, que de le forcer à refuser ce qu'il désire le plus : vivre. Le comble du contrôle intellectuel. Il y avait quelque chose de grisant dans cette domination du corps par l'esprit, jusque dans l'extrême fatigue générée par les privations. Le corps s'amenuise jusqu'à n'être presque plus sensible. S'installe la sensation de n'être qu'un cerveau et des yeux qui avancent, libérés de tout.

Et puis, je disparais aux yeux du monde, mes règles cessent, mon sexe se dilue, ma transparence me dissimule à mes prédateurs. Qui aurait envie de violer des yeux ?

Gloria posa la main sous ses seins. Une désagréable crispation, douloureuse, presque une brûlure. Elle s'immobilisa au milieu du trottoir et inspira profondément. Un gamin la dépassa, guidant d'une main sa patinette en aluminium et dévorant de l'autre un hot-dog submergé de gruyère fondu. Elle se crispa, l'odeur du fromage chaud la révulsait, lui arrachant des haut-le-cœur. Mais la salive s'accumula dans sa bouche, une salive de convoitise, et elle se rendit compte qu'elle avait faim. La sensation lui était devenue si étrangère au fil des années que sans cet enfant vorace, elle aurait attribué son malaise à la grossesse, voire à un début d'ulcère. Gloria n'avait jamais faim, elle se contraignait parfois à manger lorsqu'elle sentait sa tête devenir légère et ses réflexes plus longs. Elle y pensait, comme on pense à fermer une porte derrière soi ou à vérifier le passage du facteur. Un acte nécessaire et ennuyeux dont il convient de s'acquitter rapidement, parce qu'il remplit une fonction. La passion d'esthète de James pour la bonne chère, les excellents vins, glissait sur elle. Elle ne s'en étonnait pas, du reste s'étonne-t-on que quelqu'un collectionne les timbres ou les pochettes d'allumettes ? Gloria ne buvait, ou n'avait bu, que des grands chablis, parce qu'elle en aimait le goût et aussi sans doute parce que leur classe participait d'un statut social, de sa démonstration, et la rassurait. Pourtant, elle aurait pu avaler n'importe quelle piquette lorsque l'envie de calme-en-dedans la prenait.

La douleur qui s'était estompée revint en force, et elle ouvrit la bouche pour respirer. Elle regarda autour d'elle. Castro Street était pointillée de petits restaurants plus ou moins typiques, plus ou moins branchés, dans l'ensemble assez bons. Elle opta pour *Mother Earth* parce qu'elle n'avait que la rue à traverser.

Le restaurant était désert. Elle jeta un regard à sa montre : à peine onze heures et demie. Un jeune homme très mince aux cheveux couleur quetsche, l'accent du sourcil gauche piercé de petits anneaux d'argent, se porta à sa rencontre en souriant. Le bord inférieur de ses paupières était ourlé d'une sorte de khôl bleu marine qui agrandissait encore ses yeux.

— Il est peut-être trop tôt pour déjeuner ?

— Non, pas du tout. Vous avez toute la place pour vous.

— Non-fumeurs, s'il vous plaît.

— Tout le restaurant est non-fumeurs.

Il ouvrit les bras et déclara d'un ton gai :

— Choisissez la table de deux que vous préférez.

Gloria choisit une table excentrée qui lui permettait de s'adosser à un mur. Un réflexe de proie dont elle ne parvenait pas à se défaire. Du reste, pourquoi le faudrait-il ? Le monde est plein de prédateurs. Le dernier tube de cette chanteuse, comment s'appelait-elle déjà, Dido, lui revint. Fond d'accordéon : *I just want to feel safe in my own skin*. Mais l'affirmer, c'est pathétiquement avouer l'impossibilité de la mutation.

Elle s'installa et ouvrit la carte. Un restaurant végétarien. L'endroit était plaisant, lumineux sans devenir réfrigérant. Des odeurs d'épices et de fruits secs lui parvenaient de la cuisine. Le jeune homme posa une carafe d'eau devant elle ainsi qu'une panière d'osier dans laquelle fumaient encore deux petits pains recouverts de graines de sésame. L'estomac de Gloria se contracta et produisit une sorte de long borborygme plaintif. Elle détestait les sons, les odeurs des corps, cette organicité si lourde, si vulnérable, et se sentit rougir. Le serveur léger et élégant accentua sa gêne en lançant gentiment :

— Ah oui, il est temps de nourrir le bébé, là. Bon, je vous laisse choisir. Le spécial d'aujourd'hui est un ragoût de patates douces, de pommes fruits, d'émincé de chou et de pointes d'asperges vertes avec un léger curry.

Il s'avança vers le client qui venait d'entrer et attendait, raide dans son costume gris anthracite.

L'homme s'installa non loin de Gloria, et elle se tendit aussitôt, déplaçant le regard pour ne jamais rencontrer le sien. Encore et toujours ces réflexes de proie, ces inoubliables parades qui lui donnaient le sentiment de gagner du terrain sur l'éventuel prédateur. Pourtant, elle comprit rapidement qu'il s'était à peine aperçu de sa présence.

L'homme était étonnamment beau, et fut aussitôt l'objet des attentions du jeune homme aux cheveux violets. Un magnifique visage de mammifère, aurait dit Maggie. Selon elle, les gens ressemblaient à des poissons, des oiseaux ou des mammifères. Lorsque Gloria lui avait demandé l'intérêt d'une telle classification, l'Irlandaise avait répondu :

— Bof, ça sert pas vraiment, sauf que d'une façon générale, je me sens plus proche des mammifères.

C'était un brun aux épais cheveux coupés courts. Son beau nez droit rectifiait la finesse de ses traits d'une grâce plus masculine. La trentaine peut-être, à peine. La matité de sa peau faisait ressortir le blanc parfait d'une chemise de designer. La gourmette en or était de trop, ou plutôt, une indication de tout ce dont il ne voulait plus sans parvenir à s'en débarrasser tout à fait. Parce que le costume était de qualité médiocre, comme les chaussures. Parce que chacun de ses gestes était contrôlé. Un ancien pauvre, décidé à se hisser ailleurs sans en comprendre trop bien, trop vite les règles. Comme elle. Mais les femmes sont en général plus observatrices que les hommes, elles apprennent plus vite à imiter.

Il posa devant lui son téléphone cellulaire et un paquet de cigarettes d'un geste conquérant, mais Gloria remarqua que sa main tremblait. Le serveur murmura presque tendrement :

— Désolé, c'est tout non-fumeurs.

L'homme répondit d'un ton courtois mais nerveux :

— Oui, je sais. De toute façon, j'arrête de fumer.

Gloria commanda le spécial accompagné d'une grosse salade d'épinards et d'endives aux noix et d'un verre de chablis. Un seul, Parker-Simmons. Elle attaqua le deuxième petit pain au sésame grillé. Le malaise passait.

L'homme rattrapa le serveur qui fonçait vers les cuisines, lui expliqua qu'il était assez pressé et qu'il souhaitait des pâtes aux fonds d'artichaut et une demi-bouteille de vin rouge. Son regard n'avait pas une seule fois effleuré Gloria, et son indifférence polie vis-à-vis du serveur prouvait que la tension qui suintait de chacun de ses gestes n'était pas seulement due au sevrage tabagique. Elle le vit composer trois numéros en vain sur son portable, et chaque échec fut ponctué d'un soupir haché. Enfin, quelqu'un répondit. Le changement de son débit sidéra Gloria et elle tendit l'oreille. La voix d'un seigneur, d'un décideur, un peu ironique, un peu supérieure.

— Ah, tu dormais, je suis désolé de te réveiller. Il faut que tu te reposes, tu sais, tu en as besoin. Ça va super, et toi ? Non, je leur ai collé ma démission... Tu aurais vu leur tête ! Attends, ce n'est pas possible... Trois mois là-bas et je suis débordé de boulot, mais répétitif, pas à mon niveau.

Son interlocuteur dut s'inquiéter pour son avenir, tout le monde débauchait en ce moment, les années de griserie de la reprise économique se ternissaient de leurs premiers accrocs. La majorité des foyers américains étaient surendettés, déçus ou lessivés par les gifles boursières de la nouvelle économie.

— ... Mais non, je ne suis pas dingue, voyons. J'ai une proposition en or... Ben, tu te doutes bien... Un type dans l'import-export, surtout vers l'Europe. Il est confronté à des tas de problèmes qu'il ne peut pas résoudre seul… Tu vois, leur passage à l'euro, très compliqué… Je deviendrais son bras droit, en quelque sorte. Beaucoup de boulot, mais gratifiant, la rémunération aussi d'ailleurs. Il a pas loin de cent personnes qui bossent pour lui… Ne t'inquiète pas, maman. Ton fils est un battant…

Curieux, il avait une alliance mais appelait sa mère. Et Gloria reçut l'appel au secours. Cette autre femme, cette mère, comprenait-elle ? Il avait peur, il mentait, assurait pour se rassurer. Comme un petit garçon. Il était tombé, non, ce n'était pas grave, non, ce n'était pas du sang qui coulait de son arcade sourcilière. C'est rien je te dis, j'ai pas peur, j'ai pas mal !

Le serveur déposa son assiette devant lui dans un luxe de gestes et de murmures qui ne fut récompensé par aucune réaction. L'homme continuait de parler, avalant parfois une bouchée de pâtes, jouant avec sa fourchette.

Lorsqu'il raccrocha sur un rire et des baisers, il était défait, et sa belle peau mate avait pris une couleur cendrée. Il tripota son paquet de cigarettes comme un porte-bonheur, les maxillaires crispés, et Gloria plongea vers son ragoût. Un regard suffirait pour que cet homme fonde en larmes ou se mette à hurler. Il héla le serveur rêveur et souriant, adossé contre un des piliers de la salle :

— L'addition, s'il vous plaît.

Le jeune homme jeta un œil à l'assiette à peine entamée :

— C'était pas bon, monsieur ?

— Si, mais je n'ai pas très faim.

L'homme régla et sortit comme on fuit.

Le jeune homme violet s'ennuyait. La voracité de Gloria que le parfum d'épices affamait dut l'amuser.

— Ben, vous, au moins, c'est pas comme lui, vous avez un solide coup de fourchette. Vous savez ce qu'on dit : faut jamais se mettre entre une femme enceinte et son assiette.

Il était le premier inconnu, étranger, à consacrer l'existence de son ventre, et elle lui en voulut. Et puis soudain, la sottise de ce conteur de détails lui tapa sur les nerfs. Elle leva un regard si bleu, si froid, et sans un sourire déclara d'un ton glacial :

— Il vient de se faire virer et il est terrorisé. Ma salade, je vous prie. Maintenant.

Lorsqu'elle rentra, fourbue, la joie hystérique de Charlie la fit sourire. Elle lui ouvrit la grande baie vitrée qui donnait sur le jardin en pente douce situé à l'arrière de la maison, après l'avoir caressé. Maggie avait admirablement réussi son coup. C'est un étrange et pressant sentiment de rentrer lorsque quelque chose ou quelqu'un vous attend. Cette petite bête avait en quelques jours su tisser des liens qui la ramenaient chez elle plus sûrement qu'une promesse.

La réunion s'était admirablement passée. Ses conclusions n'avaient pas surpris ses employeurs du moment, et leur répétition, par rapport à d'autres études, semblait les avoir pleinement satisfaits. Étrange comme certains clients étaient prêts à débourser de grosses sommes pour qu'on les assure des mêmes choses. Après tout, elle s'en foutait, c'était leur fric, qu'ils le dépensent comme bon leur semblait. Le gros chèque irait rejoindre le très confortable trésor de guerre qu'elle avait accumulé afin que les jours de Clare ne s'assombrissent jamais si quelque chose arrivait à sa mère.

Elle décida de s'offrir une petite célébration et se servit un grand verre de chablis. Mais ne pas le boire comme cela, comme avant. Se déshabiller d'abord, revêtir un lourd kimono de soie, chercher les bêtises semées par Charlie durant son absence puis monter.

S'installer devant le grand bureau et allumer ses ordinateurs. Lorsqu'elle aurait désactivé le nouveau virus, son « digestor », qu'elle avait installé pour protéger l'accès à ses données, elle célébrerait.

Elle avala une première gorgée et pénétra sur sa messagerie. Un seul de ses ordinateurs était relié à Internet ; les deux autres, ceux sur lesquels elle travaillait, fonctionnaient de manière autonome. Ringwood était parvenu à la piéger une fois, de façon bien peu subtile, et on ne l'y reprendrait pas. Sur le moment, elle avait failli foncer jusqu'à Quantico pour lui dire en quelle piètre estime elle tenait son piratage. Mais outre que James en était complice, elle avait finalement apprécié cette démonstration. Hugues de Barzan le lui avait appris : ne jamais sous-estimer la complexité d'un problème sous prétexte que son énoncé est simple. L'énoncé « Ringwood » était simpliste, pourtant il avait réussi à pénétrer dans son ordinateur, preuve qu'elle se relâchait, abusivement rassurée par ses capacités à se protéger.

Une crispation douloureuse comme un poing qui s'enfonce sous le sternum. L'objet du message était « Hugues de Barzan », bien qu'elle ne reconnût pas l'adresse de l'expéditeur. Hugues, après toutes ces années. Son doigt hésita au-dessus de la touche *Enter* et elle se ravisa. Hugues aurait pu envoyer ce mail lui-même, il connaissait son adresse grâce à Rachel, Whoopi disait-elle en blaguant. Rachel, une étudiante d'Hugues, s'en était servie pour lui envoyer des messages cryptiques illustrés d'affreux papillons, afin de la mettre sur la voie de l'équation manquante pour remonter jusqu'à un tueur[1]. Pas trop facilement toutefois, parce que la simplicité humaine n'amusait pas Hugues.

1. *Le Sacrifice du papillon*, Le Masque, 1997.

Le souvenir de sa rencontre avec Rachel revint à Gloria : le jour où Sam, l'ami, avait décidé de rejoindre dans l'inexistence son Esther d'épouse, parce que cette vie sans elle l'ennuyait trop. La grande femme noire l'avait soulevée par les aisselles lorsqu'elle s'était affalée en pleine rue, désespérée, abandonnée. Sam, Sam qui demeurait comme une de ses rares et réconfortantes preuves que la vie vit. Rachel avait ensuite loué quelque temps l'appartement que Gloria possédait à Brookline.

Pourquoi Hugues se manifestait-il en personne aujourd'hui ?

Hugues de Barzan, un mathématicien français génial, terrorisait depuis des années des promotions entières du Massachusetts Institute of Technology de Cambridge, juste à côté de Boston. La très jeune Gloria, sa voracité pour l'étude et la recherche, l'avaient distrait. Pourtant, il n'avait sans doute jamais compris à quel point ce qui n'était qu'un enfantillage de Pygmalion de sa part devenait la seule arme de survie de Gloria. Il l'avait insultée, tyrannisée durant des années afin de façonner son esprit, le polir, le rendre unique, et il y était parvenu. Jamais elle n'avait pleuré, jamais elle n'avait renâclé, il ne l'eût pas toléré, et il ne fallait pas qu'il se lasse d'elle avant qu'elle soit assez forte pour se défendre seule. Il lui avait enseigné pêle-mêle et dans un ordre que lui seul comprenait, les mathématiques, la philosophie, le français, le latin, et l'avait conduite peu à peu vers la musique. Elle savait déjà absorber comme une éponge, avait-il diagnostiqué, une condition *sine qua non*, le vrai génie consistant à organiser, adapter et anticiper. Hugues lui avait sans doute sauvé la vie puisque, sans le savoir, il avait préservé celle de Clare. Mais l'élève était devenue l'égale du maître, et une femme. Hugues était déjà amoureux de cette masse de neurones qu'abritait le cerveau de sa protégée, il se rendit compte qu'elle avait un corps sans comprendre qu'elle n'en voulait pas. Elle avait profité des vacances en France du professeur pour quitter le MIT sans laisser d'adresse. Si longtemps déjà, plus de douze ans, Hugues devait avoir soixante-dix ans.

Elle passa le vérificateur de virus, plus pour se ménager encore quelques secondes d'indécision que par crainte réelle, puis tapa sèchement sur la touche. Le message était écrit dans un anglais si académique qu'elle dut le relire à deux reprises avant d'en comprendre la teneur. Il émanait d'un certain Pierre, et disait :

« Madame, j'ai obtenu vos coordonnées grâce à mon vieil ami, Hugues de Barzan, qui m'a conseillé de vous contacter. Vous me pardonnerez, je l'espère, la médiocrité de mon anglais et mon peu d'expérience avec cet engin électronique. Mais Hugues ne possédait pas votre adresse postale ni votre numéro de téléphone. Je ne sais par où commencer, ni si j'ai vraiment le droit de déposer cette charge sur vos épaules, mais je n'ai plus d'alternative. Je m'occupe de déshérités, cela depuis de longues années, aidé de quelques compagnons. Notre tâche jusque-là consistait à retrouver ces pauvres hères dans Paris, surtout par les temps rigoureux, à les convaincre de nous suivre vers les abris et accueils, à les soigner avec nos moyens de fortune. Parfois, nous les escortions aussi jusqu'à l'Institut médico-légal. Mais voyez-vous, quelque chose se passe en ce moment, madame, quelque chose que je ne comprends pas. Le chaos gagne et il est effroyable. Cet hiver, pour la première fois, nous avons retrouvé les cadavres de jeunes filles, je devrais dire d'enfants, égorgées. Trois, madame, nous en avons trouvé trois. La police a conclu à de jeunes fugueuses, elles sont si gentiment habillées, et les victimes n'ont pu être identifiées. Je crois que les policiers français sont sur les dents, mais ils ne disent rien. Peut-être pensent-ils à un de ces tueurs en série dont notre Europe commence à souffrir avec un petit décalage par rapport à votre pays. C'est également mon hypothèse. Car, voyez-vous, ces jeunes filles se ressemblaient toutes et je crois savoir, à moins de mauvaises lectures, que c'est souvent un critère de choix pour ces monstres. Je ne veux pas que d'autres enfants continuent d'être massacrées, et j'irai jusqu'au bout de mes forces de vieil homme pour l'empêcher. Hugues, à qui je m'en suis ouvert, m'a confié que vous travailliez parfois pour le FBI. C'est un nom magique pour nous, savez-vous, parce que nous ne savons pas trop bien ce que recouvre ce sigle. J'ignorais par quel biais les atteindre au plus vite, aussi m'en remets-je à vous, madame.

« Vous me pardonnerez, je le souhaite tant, mon insistance et ce cauchemar que je fais pénétrer chez vous par l'intermédiaire d'un écran dont je ne comprends pas le fonctionnement. Si vous décidiez de m'aider, je vous en serais éternellement reconnaissant et vous pourriez correspondre avec moi à cette adresse e-mail, me dit la jeune amie qui m'a prêté son ordinateur. Avec mes salutations les plus courtoises. »

BOSTON, MASSACHUSETTS, 24 FÉVRIER.

Le parfum de santal exhalé par les bougies se répandait en paresseuses volutes. Il contempla un instant, ravi, la matérialisation d'une chose si élusive, une odeur. Il retira son kimono grenat et le jeta derrière lui avant de s'allonger, nu, à même le parquet. Le contact dur et inamical du bois contre ses omoplates et son coccyx le fit sourire. Il faisait très froid dans cet immense loft, mais ils en avaient pris l'habitude.

Les premières mesures violentes du *Dies Irae* de la messe de requiem de Verdi cognaient contre les longs miroirs. Après beaucoup d'hésitations, il s'était décidé en faveur de cette œuvre parce qu'il avait été à nouveau ému par la jaquette du compact disc: la statue allongée de Shelley. Elle était exposée à Oxford, et il avait passé des heures à la détailler. L'albâtre doux s'unissait à la lumière et semblait s'y réchauffer. Il avait adoré la perfection de ce corps mince, cette union improbable entre la féminité du bassin et la tension du coraco-brachial, du triceps brachial et du grand dorsal accompagnée de la torsion extrême du deltoïde. Il avait lentement caressé le relief de la cage thoracique étirée dans le mouvement d'abandon du dormeur. C'était ce corps-là qu'il lui fallait, sans doute en plus puissant.

Il retint les petites amours, qui s'approchaient déjà de lui, d'un mouvement tendre de la main. Pas encore. Encore quelques accents de ce *lacrymosa*. Cette voix de ténor qui glissait sur une basse, transportant en elle toutes les angoisses de l'homme face à la mort, face à son indécision et à sa férocité.

Giuseppe Verdi avait un jour affirmé qu'il était le moins érudit de tous les compositeurs, passés ou à venir. Sans doute cela expliquait-il une part de son génie. Être parvenu à conserver en lui toute la fureur, la terreur, et l'infini espoir de l'Homme.

Sa main retomba et les petits pieds mignons s'avancèrent vers son corps allongé, comme celui du poète.

Les infimes persécutions dont elles le martyriseraient durant des heures le firent frémir d'impatience. Elles s'installèrent à genoux, deux contre chacun de ses flancs. Elles avaient appris qu'elles ne devaient pas reculer, pas craindre de lui faire mal. Parfois, une petite main malhabile pinçait la peau jusqu'au sang, mais il ne disait rien, s'interdisant le moindre froncement de sourcils qui les aurait affolées, petites chéries adorables. Il fallait que sa peau pâle devienne aussi lisse et parfaite que l'albâtre. Seule devait persister, au-dessus du pénis, une touffe compacte de poils en forme de trapèze.

Les pinces à épiler s'activèrent et il ferma les yeux lorsque le premier de ses amours commença d'arracher un à un les poils de son aisselle.

SAN FRANCISCO, CALIFORNIE, 25 FÉVRIER.

Gloria se sentait mal, mal au cœur, mal à la tête, mal dedans. Elle n'avait pratiquement pas dormi de la nuit, tournant et retournant le message de ce Pierre dans sa tête, se demandant si elle ne ferait pas mieux de contrôler son origine auprès d'Hugues de Barzan, hésitant parce que alors il faudrait expliquer où étaient passées ces douze années de fuite et de lâcheté. D'un autre côté, elle ne doutait pas de la véracité de cet appel au secours provenant de l'autre bout de la terre. James, bien sûr, en parler à James. Mais pas maintenant, parce que dans quelques heures, elle partirait pour Little Bend, et qu'elle tenterait de faire sentir quelque chose à Clare. C'était décidé ainsi, planifié comme un rendez-vous, dédramatisé en quelque sorte, puisque l'imprévu la terrorisait. Il ne fallait donc pas rentrer dans cette histoire parasite avec James, plus tard.

Elle se força à jouer un peu avec Charlie. Le jeu consistait à faire semblant de récupérer le torchon sur lequel il avait jeté son dévolu. Le chiot agrippait le tissu de toute la force de ses petites mâchoires et elle tirait sans brutalité, avançant ou reculant, prétendant parfois être battue. Curieusement, les grognements d'opérette du chien et ses exclamations outrées la calmèrent un peu. Elle se doucha et choisit un tailleur en laine feuille morte, parce qu'il était devenu trop serré. Elle avait du mal à fermer les boutons de la veste, quant à son ventre, le tissu le moulait, le poussant vers l'avant.

Elle partit un peu en avance afin de faire un saut dans cet époustouflant magasin de jouets qui venait de s'ouvrir dans Van Ness Avenue. *Monchen's Toys*. Des peluches géantes qui parlaient, plissaient les paupières en ronronnant, des poupées comme on en rêve, des jouets précieux et hors de prix pour les petits privilégiés de la terre, et qui faisaient surtout plaisir à leurs parents. Lorsqu'elle avait enfin récupéré Clare, lorsque l'argent avait commencé à couler à flots dans son compte bancaire, Gloria avait acheté un camion de fantaisies de luxe. Clare avait sept ans à l'époque, bien que son intellect fût bloqué dans une sorte de brouillard douloureux. Elle avait dédaigné les jouets et s'était amusée des jours durant à confectionner des cornets de papier à partir des pages qu'elle arrachait des magazines, comme Sam le lui avait appris. Gloria avait donné les poupées, les jeux et les peluches.

C'était un univers magique, pourtant, si beau, si doux, plein de carillons, de petites musiques et de grelots. Gloria tomba en arrêt devant un ravissant manège de bois et de métal. Les minuscules chevaux sculptés main étaient peints de couleurs violentes. Une vendeuse onctueuse s'avança vers elle :

— Puis-je vous aider, madame ?

— Oui, je cherche une poupée, mais...

— Suivez-moi, nous avons les plus belles choses.

Après un quart d'heure de signes de dénégation ponctués de sourires de convention, Gloria songea qu'elle ferait mieux d'expliquer à la jeune femme ce qu'elle recherchait au juste. Mais c'était si difficile à formuler. Et merde, qu'en avait-elle à foutre de cette femme, elle ne la reverrait sans doute jamais.

— Écoutez, je cherche une poupée enceinte. J'ai entendu dire que vous en aviez une... Je... (Elle décida de banaliser, d'avouer à la vendeuse ce qu'elle pourrait admettre sans réfléchir.) J'ai une petite fille. Ce serait une... entrée en matière afin de lui expliquer qu'elle va bientôt avoir un petit frère... ou une petite sœur, d'ailleurs.

— Mais bien sûr, du reste, c'est aussi un peu le but de ce modèle de poupée. Quel âge a votre fille ?

— Quatre ans.

Quatre ans. Elle devait le soulagement de cet âge précis à Jade. Jade avait affirmé que Clare avait maintenant acquis un âge mental de quatre ans, et qu'elle progressait toujours. Clare aurait dix-neuf ans dans quelques mois, rien à foutre. C'était son bébé et elle avait quatre ans, bientôt cinq.

Elle acheta la poupée blonde. La vendeuse, en parfaite commerçante, souleva la robe de grossesse en laine écossaise et le petit jupon de dentelle pour lui faire constater la perfection du ventre tendu. La nausée secoua Gloria et elle fit un effort gigantesque pour demeurer là, un sourire courtois aux lèvres, et ne pas s'enfuir du magasin.

La poupée avec ses joues d'enfant, son regard de petite fille, ses longs cils de sommeil et ce gros ventre. Comme elle, dix-neuf ans plus tôt. Non, elle était décharnée.

Sa stupidité lui coupa le souffle. Les poupées sont faites pour être belles, pour être habillées, déshabillées, maquillées, pour supporter d'interminables dînettes, pour partager d'incohérents chagrins ou conserver d'infimes secrets.

Gloria se rua presque dans la rue et aspira l'air à grandes gorgées. Elle remonta le trottoir vers sa voiture et abandonna le beau paquet dans une des poubelles qui ponctuaient les pavés.

La peur la faisait haleter lorsqu'elle coupa le moteur du 4 x 4 le long de la pelouse de Little Bend. Merde, et cette jupe la serrait, l'empêchait de respirer. Elle bâilla profondément à plusieurs reprises. Jade avait dit que la peur de Clare naissait de la sienne. Jade savait, elle connaissait Clare, elle connaissait de l'âme à l'âme toutes les petites vies martyrisées par la nature ou les hommes qu'hébergeait la longue hacienda beige rosé.

Du calme. Calme. Reprendre le contrôle d'elle-même, ne pas se laisser aller aux émotions, aux sensations, parce qu'elle ne les comprenait pas et qu'elle s'y noyait. Elle écouta jusqu'au bout la chanson de Dido, *I want to thank you*, et descendit de voiture.

Clare l'attendait avec un cadeau. Elle avait dessiné le gros poisson ventouse pour Tata Caille. Gloria sourit de cette énorme bouche ronde, baveuse des dégoulinures de peinture noire. Le poisson n'était plus qu'une grosse lèvre circulaire et boudinée, l'organe qui lui servait à communiquer avec Clare lorsqu'elle posait sa bouche de l'autre côté de la vitre.

— Oh beau, ma chérie, ma caille, il est si beau. Merci, mon ange, merci-bisous ma caille.

— Voui... Bisouuuus. Caille, moi.

Elles se promenèrent lentement dans le parc, et soudain Clare stoppa et regarda sa mère. Elle la dépassait de plus d'une tête. Elle posa sa main sur le ventre moulé :

— Gros ?

Elle faillit lui dire qu'elle aussi était venue dans ce ventre, et comprit que trop d'années de mensonge blesseraient dangereusement Clare.

— C'est un bébé, ma caille, c'est un petit bébé qui pousse.

— Bébé ? Caille bébé.

— Oui, ma caille est un bébé, ma caille, mon bébé. C'est un autre bébé. Pas ma caille. Mais c'est notre bébé, à caille et Tata Caille. Tu veux ?

Clare fixa son regard sérieux, urgent, sur elle.

— À moi ?

— Oui, à toi et à moi, à nous deux. Tu es contente, ma caille ? Ma caille est contente ? C'est notre petit bébé qui pousse. À nous.

La jeune fille parut réfléchir puis gloussa en tapant dans ses mains :

— Vouîîî. Petit bébé, à nous, à nous... Tou'petit caille !

Elle se baissa soudain et posa un gros baiser sonore sur le ventre de Gloria :

— Dodo, dodo, bébé.

Gloria se cramponna. L'intérieur de son crâne était glacé, ses genoux l'abandonnaient et elle se sentait couler vers l'herbe grasse. Garder le contrôle, ne pas lâcher maintenant.

Elles se dirigèrent vers le corps principal de l'hacienda. Il était midi et demi et Clare avait faim. Soudain, la jeune fille lâcha la main de Gloria et fonça vers les marches plates. Lorsqu'elle rejoignit Gloria dans la salle lumineuse du restaurant, elle était hilare. Son sweat-shirt rose était déformé à hauteur du ventre.

Gloria lutta contre l'angoisse qu'elle sentait monter et demanda en souriant :

— Qu'est-ce que tu caches, ma caille ? Surprise ? C'est une surprise ?

— Vouîîî. Tata Caille, rrrprise !

Elle leva le sweat-shirt. Les pieds d'une poupée Barbie étaient coincés dans l'élastique de son pantalon. La chevelure blonde synthétique du jouet s'étalait sur la peau pâle du ventre de Clare. Elle cria de joie :

— Bébé ! À nous, bébé !

Quelque chose de très doux et de très douloureux coupa le souffle de Gloria. Elle se jeta sur Clare et la serra contre elle en pleurant, sous les regards étonnés des autres pensionnaires :

— Je t'aime, ma chérie, je t'aime tant, mon bébé.

Elle sentit les épaules de la jeune fille se casser, trembler, et elle se calma instantanément en s'écartant :

— Bouhhhh, pas pleurer. Je t'aime, nuage, oiseau, soleil, beau. Pas pleurer. Bisous, bisous à Tata Caille, viîîîte !

Clare oublia ce chagrin qu'elle ne connaissait pas et se rua contre elle pour l'embrasser.

James était arrivé vers vingt heures, et s'était changé. Gloria le trouvait beau ainsi, vêtu d'une vieille chemise trop large en jean délavé, d'un pantalon de treillis gris pâle qui avait dû connaître des jours meilleurs plusieurs années auparavant, et pieds nus. Il s'agitait depuis un moment dans la cuisine, et elle le regardait faire, buvant lentement son verre de chablis-tolérance.

Il se tourna et précisa :

— Tu as une chance folle, tu sais. Ceci, là, dans la casserole, est une future vraie purée de pommes de terre. Et avec, qu'avons-nous, hein, je te le demande ? Allez, vas-y, devine ?

— Des pâtes au basilic et à la tomate ?

— Rigolote, va ! De la *pata negra*, ma chère, en direct de Séville.

— Ah, j'en ai entendu parler, mais je ne connais pas.

— Le meilleur jambon du monde, aussi simple que ça !

Il n'avait posé aucune question, pourtant, il en mourait d'envie, elle le savait. Cette fois, elle devrait parler.

— Clare est au courant... pour le bébé. Je lui ai expliqué à midi.

Il se tourna vers elle, le visage fermé :

— Et ?

— Et elle le prend très bien, je crois même qu'elle est contente.

Elle l'entendit soupirer. Il se précipita sur elle et elle cria en fermant les yeux. Pourtant, elle ne bougea pas, mais ouvrit les bras. Elle n'avait pas peur, c'était sidérant, mais elle n'avait pas peur.

— Oups, tu dis si je t'écrase, si possible avant.

Ils dînèrent paisiblement dans la cuisine. Il était trop bien pour évoquer Morris maintenant. Pourtant, il avait assez tergiversé, et il ne fallait pas qu'elle l'apprenne par une autre source. Cagney avait compris depuis bien longtemps qu'il fallait toujours donner à Gloria le temps de réfléchir, parce que alors les choses devenaient moins menaçantes, son cerveau trouvant la solution. Soudain, elle déclara :

— Oh, ça, c'est bon. Je crois bien que c'est la première fois que je mange de la future-vraie-purée.

— Mais non, bécasse, maintenant, elle n'est plus future puisqu'elle est dans l'assiette.

À son sourire, il sentit qu'elle se moquait de lui et lui pinça gentiment le bout du nez.

— James, j'ai invité Maggie demain soir. J'aimerais beaucoup que vous parliez un peu ensemble.

— D'accord.

L'idée l'emmerdait. Il passait si peu de temps avec elle qu'il n'avait envie de la partager avec personne. Chaque minute perdue lui semblait une injuste punition. Elle dut sentir les réticences qu'il ne formulait pas, parce qu'elle insista :

— Tu sais, Maggie a vu ce documentaire sur les éléphants. On les adore toutes les deux. En fait, les éléphantes pratiquent le comaternage. La femelle qui va accoucher choisit une éléphante plus vieille et stérile, c'est assez fréquent dans cette espèce, une sorte de marraine, et elles s'occupent du petit ensemble. Ça permet à la mère de se reposer ou de manger sans craindre qu'un tigre ou un lion n'attaque son éléphanteau, parce qu'à ce moment-là c'est la marraine qui le protège.

Quelques fractions de seconde lui furent nécessaires pour lier ce préambule à ce qu'il connaissait d'elle. Merde, mais de qui se moquait-elle ? La colère lui dessécha la bouche. Il tenta de se maîtriser, en vain. Une rage folle lui fit fermer les paupières. Cette femme déraisonnablement aimée était capable de le plonger dans de telles fureurs... Il reposa si sèchement son verre sur la table que du vin tacha le set. Il répondit en détachant chaque syllabe :

— J'emmerde les éléphantes et Maggie.

Il vit son sourire mourir, ses lèvres se serrer jusqu'à ne plus former qu'une ligne, mais il était trop loin dans la colère. Il inspira afin de garder le contrôle de son débit :

— Les éléphantes font cela parce que les mâles ne s'occupent pas des petits, comme dans la plupart des espèces animales, sauf quelques-unes, dont la nôtre. Ceci, poursuivit-il en désignant du doigt le ventre de Gloria, ceci est notre enfant, le mien, c'est clair ? Ce n'est pas l'enfant de Maggie-excellente-copine, ni même celui de Clare.

Il se leva soudain, jetant sa serviette sur la purée, et cria :

— Alors, quoi ? Vous vous êtes fait un super-plan, les deux femelles qui élèvent le petit, et moi je suis quoi dans l'histoire ? Un vague donneur de sperme ? Je débarque tous les week-ends et on me permettra de faire risette au bambin et de sauter ma femme ? Elle est lesbienne ou quoi ?

Gloria était livide, décolorée jusqu'aux lèvres. Elle répondit d'un ton plat :

— Maggie ? Non, elle n'est pas lesbienne, moi non plus d'ailleurs, du moins pas à ma connaissance. Du reste, ce genre de conclusion est assez nulle. Ensuite, je ne suis pas ta femme, et n'ai aucune intention de le devenir. Quant à « sauter », c'est très élégant, je te remercie. Bon, je vais me coucher. Je décommanderai Maggie demain matin, je ne veux pas qu'elle supporte ce genre de vulgarité.

Elle se leva et se dirigea vers l'escalier. Il la rattrapa par le bras :

— Tu me fais mal.

— J'en doute...

Il paniqua :

— Mais pourquoi tu as eu cette idée, explique-moi ? Quoi, je ne suis pas assez bon, trop vieux pour élever un enfant ?

Il lut une totale incompréhension dans son regard, et eut soudain envie de la serrer, de l'embrasser comme un dingue.

Brusquement, Gloria fondit en larmes, et c'était si inhabituel, si inattendu qu'il resta comme un abruti debout devant elle :

— Mais tu es malade, tu es malade ! Cette histoire d'âge te rend paranoïaque.

Il la tira doucement vers le salon, la forçant à s'asseoir. Elle sanglotait, les mains plaquées sur son visage. Il tenta de les desserrer, mais elle cria, hargneuse :

— Non !

Alors, il attendit qu'elle se calme, qu'elle revienne, murmurant parfois :

— Pardon, je ne veux pas te faire pleurer, jamais. Explique-moi, je t'en prie. Je vais comprendre.

Enfin, elle soupira et déclara d'une voix agressive :

— Je n'ai pas de mouchoir.

Lorsqu'il revint de la cuisine avec le rouleau d'essuie-tout, elle était calmée.

— Explique-moi, tu veux ?

— C'est tellement évident. Tu ne viens qu'une fois par semaine. J'ai décidé que je ne retournerai pas en Virginie. Je n'aime pas ce climat, je déteste ton appartement et il est hors de question que je trimballe le bébé en avion. Je pars tous les après-midi rendre visite à Clare et je ne veux pas d'un étranger ici. Je ne supporterai pas les marques d'une autre présence dans ma maison. Ce ne serait plus chez moi. (Elle ajouta en riant doucement :) En plus, je passerais mon temps à imaginer que je suis tombée sur un psychopathe qui profite d'une de mes absences pour mettre le bébé dans le four ou le noyer.

Il hésita une seconde, repassant à toute vitesse les arguments qu'il pesait depuis des semaines. La trouille lui dessécha la gorge. Et si elle le jetait, comment s'en remettrait-il ?

— Et moi, comme baby-sitter, je serais comment ?

Le regard si bleu, si grave, encore humide de larmes, l'épingla :

— Tu veux dire emménager ici ?

— Si c'est un problème, je peux trouver quelque chose, pas trop loin.

— Et le Bureau ?

— Cessation d'activité. Du moins de ce côté-là. J'envisage une carrière de consultant. Ou même d'horticulteur, j'adore les fleurs.

Elle pouffa et il respira un peu :

— Alors, qu'en penses-tu ? Tu as le temps de réfléchir.

Elle le regarda de biais et déclara lentement :

— L'idée est intéressante, super-agent Cagney. Mais je ne sais pas du tout comment on fait. En fait, je ne suis vraiment pas certaine de pouvoir vivre avec quelqu'un. On ne va pas se marcher dessus ?

— Sauf quand on en aura envie.

— Il faut que je réfléchisse. Tu sais, ce bébé est important aussi pour Maggie, et tu ne dois pas lui en vouloir... C'est vraiment fondamental pour elle.

— Ça l'est moins que pour moi, ma chérie. Mais je le comprends, et je ne lui en voudrais pas s'il est clair que c'est mon bébé. Allez, on va la manger cette vraie purée ? Elle doit être froide.

— D'accord. Fais une caresse à Charlie. Regarde, il a eu peur, il est tout tassé.

— Au moins, pendant ce temps-là, il n'a pas attaqué ma cravate ou mes chaussures.

Bien sûr, elle n'avait pas accueilli sa proposition avec enthousiasme, mais il n'en attendait pas. Du moins ne l'avait-elle pas rejetée en bloc. L'orage était passé mais il y en aurait d'autres. Finalement, il ne s'était jamais engueulé avec son ex-femme, jamais un mot plus haut que l'autre. Du reste, avaient-ils un jour prononcé une seule phrase qui comptât un peu ? Gloria était tempête, mais elle sécrétait involontairement ces moments de paix absolue qui s'installent lorsque les éléments se calment.

Il lui pela une orange, sachant que sans cela elle se priverait du fruit, et déclara :

— J'ai une nouvelle désagréable, en plus. Je préfère te l'annoncer ce soir.

— C'est grave ?

— C'est à toi de me le dire.

— Alors ça ne l'est pas. Vas-y.

— Morris sera bientôt de retour à la base. Il devient l'agent de liaison de Harper.

Elle le regarda et demanda d'un ton sec :

— Et ? En quoi cela me concerne-t-il ?

— Morris est amoureux de toi, tu l'oublies ? Il s'est trouvé une femme qui te ressemblait et dont il attend un enfant. Je ne serais pas surpris que son envie de revenir à Quantico soit en grande partie motivée par toi.

Glaciale comme il avait oublié qu'elle pût l'être, elle conclut :

— C'est son problème, pas le mien.

— Ça risque également de devenir le mien.

— Alors c'est votre problème, mais toujours pas le mien.

Il hésita, puis décida que sa question ne naissait pas seulement d'une jalousie rétrospective :

— Que s'est-il passé entre vous, Gloria ? Pourquoi n'as-tu jamais voulu en parler ? Je crois que c'est important.

— Il ne l'a pas évoqué ?

— Si. Très vaguement. Dans cet avion militaire qui nous transportait à San Francisco, lorsque je suis venu chercher Clare pour la mettre à l'abri à Quantico. Je crois qu'il a dit qu'il était monté chez toi, il avait bu et tu as eu très peur. Il t'en voulait d'avoir pu craindre qu'il, enfin...

— Qu'il me viole ? Pourquoi, c'est si invraisemblable ?

— De la part de Morris, oui, je crois vraiment.

— J'étais en train de rentrer les données concernant Lady-Killer[1] sur mon ordinateur, le sang de ces femmes, leur terreur. Il est entré. Il était très saoul, il puait l'alcool. Je voulais qu'il parte, mais il s'est avancé. Je portais juste un peignoir. Il balbutiait, je ne comprenais rien et il a levé la main, j'ai cru qu'il voulait me frapper et puis me forcer. Je me suis écroulée par terre en le suppliant de partir. Et puis ensuite j'ai trop bu, j'ai été malade. C'est tout. (Elle redevint mauvaise, et termina :) Et je ne veux aucun rapport avec M. Morris. S'il est déséquilibré, qu'il se soigne. Si ses

---

1. *La Parabole du tueur*, Le Masque, 1998.

hormones lui montent à la tête, il paraît qu'il existe d'excellentes castrations chimiques, douces et réversibles.

— Je ne...

— On peut parler d'autre chose, maintenant ? Cette conversation m'ennuie.

Elle se rétractait dans ce coin de sa tête qui lui était interdit, auquel il n'aurait jamais accès. Jude Morris, sa passion dévastatrice et même ses futurs stratagèmes pour pourrir la vie de Cagney ne valaient pas son éloignement à elle. Car si elle se terrait dans cet endroit, qui disait lorsqu'elle en ressortirait enfin ?

— Oui, tu as raison. Aux chiottes, Morris !

Le sourire revint.

— Bon, puisque la soirée se professionnalise, viens.

Elle se dirigea vers l'escalier et il la suivit jusqu'à ce bureau qu'il aimait tant parce que durant les heures de bunker, terré dans les interminables couloirs souterrains de la base, il l'imaginait derrière cette lourde plaque d'érable pâle.

Elle lui tendit une sortie papier d'e-mail, qu'il lut rapidement :

— Pas vraiment clair. C'est quoi ?

— Un certain Pierre. Il a obtenu mon adresse d'Hugues de Barzan, donc je dirais que sans doute ce n'est pas un plaisantin.

— Hugues de Barzan ?

— Lui-même.

Cagney se replongea dans la lecture du texte pour qu'elle ne perçoive pas son mécontentement. S'il avait été jaloux du passé de Gloria, cette jalousie s'était tout entière cristallisée sur cet homme autoritaire et amoureux auquel il avait parlé[1]. Sans doute parce que leurs âges respectifs les séparaient de Gloria. Barzan avait

1. *Le Sacrifice du papillon*, Le Masque, 1997.

évoqué cet amour ultime avec une tendresse désespérée mais cinglante, renvoyant James à sa propre urgence. L'idée que Gloria avait au moins été amoureuse de l'intelligence de cet autre homme le blessait. Il parvint à simplifier les phrases ampoulées, les tournures trop académiques pour l'anglais, à ordonner la syntaxe de Pierre. Et puis, Barzan se dilua, et ne restèrent que les mots qu'il découvrait.

— Ce n'est pas possible !

— Quoi ?

— Non, cela irait contre toute notre hypothèse.

— Tu peux être un peu plus précis ?

Cagney contourna le bureau et s'affala dans le fauteuil de Gloria sans même penser à lui en demander la permission.

— Ah, merde, merde... Quelle heure il est, là ?

— Vingt-deux heures trente.

— Bon, je peux sans doute joindre Ringwood ou Glover à la base en comptant le décalage.

— Tu m'expliqueras ensuite ? demanda-t-elle d'une voix de petite fille.

— Oui, oui, répondit-il, vague, ailleurs.

— Tu préfères que je te laisse ?

— Non. Je veux que tu restes à mes côtés. Collée à moi. Toujours.

Elle posa les fesses sur le rebord du bureau, juste à côté de lui, et le pan de son kimono glissa, découvrant un peu de sa cuisse. Cagney posa la main sur cette peau fine et tiède, comme on caresse un talisman.

— Ah ! Glover ? Ringwood est encore dans les parages ?... Bien, appelez-le, et branchez le haut-parleur, s'il vous plaît... Oui, je suis à San Francisco. Je branche moi aussi le haut-parleur. Mrs Parker-Simmons est à mes côtés.

Des saluts furent échangés et Cagney leur lut lentement le texte du message de Pierre, revenant sur certaines phrases dont la construction trop formelle gênait la compréhension.

— Le type, là, Peter, c'est du sérieux ? s'enquit Ringwood.

— Il est passé par le filtre Barzan... je répondrais par l'affirmative. Bien sûr, on vérifiera.

La voix grave et bien placée de Glover résonna dans le bureau :

— Pensez-vous qu'il puisse exister un rapport avec la gamine qui est tombée dans les bras de la copine de Whitney Harper ?

— C'est exactement ce que je me demande.

— On prévient Harper, monsieur ?

— Oh non ! Il ne nous lâchera plus d'une semelle. Localisez Barzan, je vous faxe le texte et vous vérifiez le sérieux du témoin. Quant à moi, je lui réponds immédiatement par mail pour lui demander quelques précisions.

Ringwood, ajouta :

— Ça roule ! Ah, chouette, moi qui me prévoyais un week-end tranquille. Mais c'est chiant, la tranquillité.

Lorsque Cagney eut raccroché, il leva le regard vers Gloria.

— Je sais, je t'explique.

Il lui raconta les circonstances de la mort de la très jeune fille, l'hystérie de Harper, sa visite à l'Institut médico-légal de Boston, et la mauvaise humeur du Boston PD.

— Si nous parvenons à établir un lien entre ces gamines françaises et la jeune victime de Boston... (Il hésita puis poursuivit :) Je m'en veux, tu sais. Je veux dire, j'en avais ras la caisse de Harper, finalement, j'ai peu pensé à cette gamine. Je crois que ce mail est un signe. Signe que je me suis planté et qu'il s'agit peut-être d'un serial killer, même si je n'en suis pas certain, donc d'un crime fédéral. Signe qu'il faut que j'arrête avant que tout me semble suspect, même les jolies choses, parce qu'à ce moment-là, je serai mort.

— Jolies choses comme l'amitié de la fille de Harper pour cette autre jeune femme, Kathy, c'est cela ? Tu sais, ce n'est pas parce qu'une jeune fille riche s'inquiète du meurtre d'une gosse paumée, et veut que justice lui soit rendue, qu'elle est suspecte.

— Merci d'insister lourdement sur le fait que je me suis conduit comme un con, ma chérie. Tu m'aides avec ce mail ? Ton français va nous être utile. Cela rassure toujours les gens que l'on parle leur langue...

Elle déposa un baiser sur son front et lissa du bout des doigts les rides qui s'y creusaient. Gloria apprenait lentement, presque maladroitement, les gestes de la tendresse ailleurs que pour Clare. Son autisme cédait peu à peu devant l'obstination de Cagney. Hors sa fille, il n'existait jusque-là pour elle que deux états : l'intellect et plus tardivement le sexe, rien entre, aucune manifestation physique vers l'autre. Cagney avait compris qu'il ne s'agissait pas d'une aversion pour les baisers légers ou les caresses d'amour ou de chagrin ; simplement elle n'y pensait pas. Elle sourit :

— On y va, que veux-tu lui dire ?

— Je veux qu'il récupère les rapports d'autopsie, qu'il précise si ces très jeunes filles étaient enceintes, et à quoi ressemblaient les plaies d'exsanguination.

— Pourquoi ?

— Cette gamine attendait un enfant, il est assez rare qu'un homme seul tue une femme visiblement enceinte, sauf si c'est précisément ce qu'il recherche ou qu'il chasse en horde – le genre bordée de tordus en surenchère, purification ethnique et le reste – et les blessures à la gorge que portait la victime étaient très spécifiques.

— Spécifiques de quoi ?

— De quelqu'un qui veut tuer, et vite.

— Le « et vite » explique pour quelle raison tu n'es pas certain qu'il s'agisse d'un serial killer ?

— Oui, mais ce n'est pas aussi simple que cela. Une série d'exécutions n'est pas exclue, mais le tueur peut appartenir à la catégorie des sociopathes sans sadisme associé.

Mauvaise, elle siffla entre ses dents :

— Ah oui, vos deux grandes catégories de dingues sains d'esprit ! Ceux qui aiment faire hurler longtemps, très longtemps, et ceux qui s'en foutent. L'horreur du résultat étant la même pour le pauvre bout de viande humaine qu'ils ont choisi de massacrer.

— Je ne les ai pas créés, Gloria, j'essaie juste de les éliminer d'une façon ou d'une autre.

— Mais ils reviendront toujours, n'est-ce pas ?

Il hésita, ferma les paupières et murmura :

— Oui… Toujours. Ils ont toujours été là, mais on ne le savait pas.

BASE MILITAIRE DE QUANTICO, FBI, VIRGINIE, 28 FÉVRIER.

L'Interstate 95 était bondée. Un accident. Une petite neige glaciale s'abattait en bourrasques, gelant au sol. Il avait fait si froid ces derniers jours. Cagney crispa la bouche. Les événements météorologiques « exceptionnels » se succédaient selon une fréquence inquiétante. Les ouragans précédaient les vagues de sécheresse ou les chapes de froid polaire, les raz-de-marée prenant ensuite le relais. Quel gouvernement aurait un jour assez de tripes pour annoncer à ses électeurs que oui, l'effet de serre existait bien, que oui, nos excès, notre confort condamnaient les générations futures, qu'en effet seule une gigantesque réflexion sur notre façon de vivre, de produire, de consommer, d'accumuler les déchets pouvait sauver la planète ? Aucun sans doute, la myopie congénitale des hommes ne leur fait voir que le bout de leur nez et pourtant, ils craignent tant la mort.

Cette affaire – car il était maintenant convaincu qu'ils étaient confrontés à une enquête fédérale, peut-être même internationale – serait sa dernière. Il le promettait à ce bébé dont il avait décidé qu'il s'agissait d'une petite fille qui peut-être s'appellerait Savannah. Le monde a toujours été cruel, il n'existe pas de violence moderne, c'est de la foutaise de talk-shows. Le sadisme et l'horreur ont toujours semé l'histoire de l'Homme d'exterminations, de meurtres, de viols et de cris. Il suffit de la lire pour s'en convaincre. Il existe simplement une modernité des moyens de violence. Mais il consacrerait le reste de sa vie à apprendre à Savannah et à Gloria comment s'en protéger, comment lutter. C'est finalement le rôle ultime des mâles de notre espèce, même si la plupart tentent d'y échapper.

Il pouffa, à l'arrêt derrière une Lexus. Ses deux passagers se disputaient avec véhémence, les bras volaient comme s'ils pouvaient gommer la neige et les encombrements. Probablement des gens en retard. Gloria serait folle si elle savait où le menaient ses pensées. Elle avait protégé Clare si longtemps, s'était bagarrée avec toutes les armes à sa portée. Mais la peur qu'elle avait su effacer de sa fille s'était amassée en elle, ajoutant à ses propres terreurs. Lui n'avait plus peur de rien, si ce n'est de la perdre, de mourir sans avoir vécu vraiment.

Le planton le salua et ouvrit la herse armée de longues dents d'acier, destinée à déchiqueter les pneus d'une voiture suicidaire qui aurait eu l'idée saugrenue de forcer l'entrée de la Base. Cagney gara sa voiture sur le parking déjà encombré du Jefferson Building et coupa le contact. Il resta là, contemplant les flocons de neige qui couvraient progressivement son pare-brise. Parviendrait-il à quitter un jour ce cocon militaire et agressif qui l'avait accueilli au cours des heures les plus sombres de sa vie ? Lorsque l'horreur triomphait au-dehors, seuls les boyaux souterrains du Jefferson avaient réussi à le convaincre qu'il était encore humain, encore capable de lutter. C'était sans doute pour cela qu'en dépit des aigreurs accumulées contre Morris, il ne pourrait jamais détester son ancien adjoint : ils s'étaient battus côte à côte, portés par l'idée illusoire que la lumière peut vaincre. Ils resteraient toujours compagnons d'une résistance qui ne devait jamais finir.

Richard Ringwood lui sauta dessus avant qu'il ait eu le temps de suspendre son pardessus.

— J'ai plein de trucs à vous raconter !

— Ils peuvent supporter que je boive un café avant ?

— Ben, on peut se le faire concomitamment !

— Si vous insistez. De bonnes nouvelles, si j'en juge par votre air extatique.

Ringwood se renfrogna immédiatement et baissa les yeux :

— Euh, non... Enfin, sauf si vous voulez que je vous raconte ma vie.

Le rouge envahit le front dégarni de Ringwood et une sorte de barre dans les reins contraignit Cagney à s'asseoir. Il déglutit et formula péniblement :

— Votre ex-femme vous a appelé ?

Ringwood leva le regard et le fixa, maxillaires crispés :

— C'est pas du jeu, comment vous savez ?

— C'est mon métier et de surcroît, vous êtes un des êtres les plus transparents que je connaisse, Richard.

— C'est une vacherie ?

— Non, ça me repose. Alors ?

— Elizabeth m'a appelé dimanche soir, tard. Elle vient de divorcer. Je ne savais pas qu'elle était remariée. Ma mère ne me l'avait pas dit. Elles sont toujours restées amies, même après... notre séparation. On a vachement parlé, ça m'a fait un bien fou. Vous savez, c'est marrant, mais je crois que c'est la première fois que je parlais vraiment à ma femme, enfin, je veux dire mon ex-femme.

— Je ne sais pas si « marrant » est le terme qui s'impose.

— « Consternant », c'est ce qu'elle dit.

Ringwood traînait son divorce depuis une dizaine d'années. Mal. Sa femme était partie un soir, sans rien laisser d'elle, sans rien emmener, si ce n'est un chaton répondant au nom de Tiger. Elle n'avait plus jamais communiqué avec son ex-mari que par l'intermédiaire de ses avocats chargés de boucler rapidement une séparation sans exigences financières.

— Et ?

— Et ? C'est tout. Nous avons discuté durant plus d'une heure. Bordel, ça faisait longtemps que je ne m'étais plus senti aussi bien ! J'ai compris des tas de trucs.

— Quoi ?

— Elle ne m'aidera pas à me défiler. Il faut que je crache le morceau, c'est ce qu'elle attend. Mais elle ne dira rien. Ça vient ou pas, c'est tout. On a vachement rigolé avec mon régime et mon végétarisme. Et puis, on a évoqué des choses moins rigolotes.

— Vous allez la revoir ?

Ringwood eut un petit rire triste :

— Attendez, pas si vite ! Ça fait onze ans que j'attends cet appel. Il paraît que la patience est l'arme des femmes, mais je peux vous dire que les mecs s'y font aussi. Pas le choix. (Il sembla réfléchir, pour achever d'un ton docte :) Vous savez, monsieur, je crois que les femmes ne pensent vraiment pas comme nous.

Cagney sourit devant la gravité inhabituelle de son informaticien. Richard avait le génie d'énoncer des évidences comme s'il venait de les inventer. Mais il semblait si heureux pour la première fois depuis des années que Cagney joua le jeu :

— Je suis assez d'accord, du moins est-ce un constat moyen. Et pourvu que cette différence dure, Richard. Là où ça ne va plus, c'est lorsque quelqu'un se met dans la tête qu'une différence est supérieure à l'autre, et ça vaut pour tout le monde.

— Juste. Bon, donc de ce côté-là... vous ne pouvez pas savoir, si, d'ailleurs. Enfin, je ne veux rien dire de définitif pour l'instant, j'ai pas envie de me porter la poisse. Côté enquête sur cette gamine, on n'est pas sortis de l'auberge.

— Pardon ?

— Ouais. Le Peter en question...

— Pierre !

— Oui, ben c'est la même chose en français. Donc, il s'occupe d'une organisation caritative d'aide aux sans-abri, un truc sans grande reconnaissance institutionnelle mais qui fait tache d'huile. « Les chevaliers des rues » ça s'appelle, tout un programme. Non religieux, tous les hommes et femmes de bonne volonté sont les bienvenus. Ils s'occupent surtout des très jeunes, des gosses. Ils ont l'air secoué, les Frenchies, parce que cette année, ils avaient plus de trois cents gamins, seuls, traînant dans les rues, pas de famille. Nous, ça fait longtemps qu'on connaît le topo.

— Et ?

— Ben quoi ? L'Occident glorieux et friqué sécrète son propre tiers-monde, et ça ne devrait pas aller en s'améliorant parce que l'Occident en question s'en fout. C'est pas des gens qui votent ni qui claquent du fric, alors qu'ils crèvent.

— Mais qu'est-ce que vous croyez, Ringwood, que je ne les vois pas, que je ne les entends pas ? Je ne voulais pas un cours de morale ou de civisme. Vous semblez soupçonner quelque chose au sujet de ce Pierre.

— C'est un ancien taulard.

— Comment cela ?

— Oui, dix ans de taule. Came et attaque d'une bijouterie à main armée. Il avait pas mal affolé le propriétaire et l'avait ligoté comme un pigeon juste avant le bain de petits pois. Le gars a claqué d'une crise cardiaque.

— Et Barzan...

— Je l'ai eu au téléphone, après pas mal de difficultés. Seul le mot magique *Mrs GPS* l'a décidé à me répondre. Il connaît très bien ce Peter, pardon, Pierre. Mais bon, Barzan, avec son humour de chiottes à la française, n'est pas une référence.

— De façon générale, je serais d'accord avec vous. Il mettrait un point d'honneur à nous entuber, juste pour la beauté du geste, mais jamais il ne ferait quelque chose qui puisse déplaire à sa Gloria. En d'autres termes, je crois que ce Pierre est sérieux.

— C'est bien ce que je me suis dit, j'espérais une infirmation, parce que ça ne nous arrange pas.

— Comment cela ?

— Il va falloir négocier avec les Français. Vous savez comme ils sont pénibles, ingérables. C'est marrant, parce que avec les Québécois qui parlent la même langue, tout se passe bien. Mais les Français sont tellement satisfaits d'eux-mêmes.

— Mais qu'avez-vous contre les Français, Ringwood ?

— J'ai passé une effroyable semaine de vacances en France. Ils faisaient exprès de ne pas comprendre ce que l'on disait. Impossible d'obtenir un renseignement. Ça les faisait rigoler, en plus.

— Car, bien sûr, vous vous exprimiez en anglais, sans vous préoccuper de savoir si votre vis-à-vis parlait votre langue ou pas. Tout le monde doit nous comprendre, c'est une évidence, n'est-ce pas ? La première des courtoisies, Richard, c'est de baragouiner quelques mots de la langue du pays que l'on visite, ne serait-ce que « pardonnez-moi, je ne parle pas le swahili », surtout lorsque ce pays possède une culture que le monde s'arrache aux enchères.

— On dirait ma femme ou pire, ma mère.

— Dans votre bouche, c'est un compliment, n'est-ce pas ?
— Vous devenez perfide, je ne répondrai pas.
— Donc nous sommes d'accord.
— Vous avez eu un message du Pierre en question, monsieur, je veux dire à San Francisco ?
— Oui. Je l'ai dans ma sacoche, en français. Gloria l'a traduit. Il va récupérer les rapports d'autopsie. Confidentiels, il n'a pas le droit, mais le médecin de l'Institut médico-légal de Paris, un certain Louis Lemaire, est inquiet lui aussi, et donc prêt à une brèche déontologique. Il faut contacter le secrétariat général d'Interpol à Lyon. On se la joue gentils garçons !
— C'est fait. La demande de renseignements est partie. D'un autre côté, si l'on retient l'hypothèse d'un serial killer, ce type est chez nous, maintenant.
— Oui, mais il a peut-être commis une connerie, quelque part en France ou en Europe, qui peut nous aider à plonger dans la meule de foin.
— Et Harper ?
— Je l'appelle à Washington. On ne peut plus retarder. C'est peut-être aussi pour moi une arme de négociation.
— Morris ?
— Oui. Il nous lâche ou la gentille amie de fifille Harper devra attendre.
Ringwood tordit les lèvres. Il inspira et murmura :
— C'est pas bien ce que vous dites.
— Non, en effet. C'est politique.

BOSTON, MASSACHUSETTS, 1er MARS.

Cette neige était magnifique, sans doute une des dernières avant le printemps. Bien sûr, la cohorte incessante des voitures, des lourdes démarches humaines la souillerait bientôt, la liquéfiant en boue sale, amassée en paquets grisâtres au coin des trottoirs. Quel dommage. Il aurait dû se retirer quelques semaines dans sa ferme du Maine, en compagnie de ses anges. Mais il ne pouvait laisser les affaires en ce moment. Vlad serait fou de rage. Ce gnome inélégant l'irritait de plus en plus, et puis, il avait tendance à puer vite dans les ambiances surchauffées qu'il affectionnait tant. C'était un vrai calvaire de devoir rester assis à côté de lui les heures que duraient ses repas. La graisse triomphante de Vlad l'écœurait. Lorsqu'il condescendait à lever sa masse pour faire quelques pas, le chuintement provoqué par le frottement de ses grosses cuisses l'une contre l'autre faisait monter un flot âcre de salive dans la bouche du Danseur.

Cette manie qu'il avait de s'échouer sur un des nombreux canapés qui ponctuaient l'immense salon de son hôtel particulier de Massachusetts Avenue, en écartant les jambes pour que les pans de ses invraisemblables robes d'intérieur en soie épaisse découvrent son sexe.

Gros, épais, comme lui. Il en était fier, c'était évident à la façon dont il le laissait reposer contre son aine. Vlad insistait souvent pour rencontrer les quatre amours du Danseur. Jamais, même s'il fallait tuer le gnome. Jamais il ne tolérerait que cette grosse vache grasse approche un de ses anges, le sexe dans la main. Il le connaissait trop. Il voulait frotter sa grosse queue vulgaire contre les petites fentes légères de ses bébés. Qu'il prenne les autres, elles étaient légion.

Mais, bien sûr, Vlad était redoutable, même le Danseur s'en méfiait. Il était incontrôlable, et son insatiable goût pour la souffrance des autres le rendait imprévisible.

L'idée qu'il était invité ce soir chez lui irrita le Danseur. Encore une interminable soirée ponctuée des rots de bonheur du goinfre à l'engrais, de ses pets de soulagement. Vlad invitait à dîner, mais lui seul mangeait. Il aimait que des spectateurs témoignent de sa voracité. Il y aurait deux ou trois filles très jeunes dans un coin, s'empiffrant de caviar en gloussant. Connasses, elles ne savaient pas ce qui les attendait lorsque Vlad serait repu. Ça commencerait plutôt bien, sans doute, et peu à peu Vlad perdrait toute mesure parce que la jouissance se refusait à lui. En fait, le Danseur s'en foutait. Il faisait son rapport puis attendait avec impatience le moment du congé, qui viendrait lorsque, l'estomac du gnome gras étant plein, son sexe se réveillerait.

À ce moment-là, Vlad tapoterait la maigre queue-de-cheval décolorée qui pendait stupidement entre ses omoplates et susurrerait :

— Iggy, Iggy, mon chéri. Va te reposer. Tu es mon fils, tu sais. Je t'aime tant. Va, mon chéri. Tu ressembles de plus en plus à ta mère, et c'est une si belle consolation. Sais-tu que la terre n'a jamais porté perle plus unique, plus parfaite ?

Et le Danseur partirait, se demandant combien de fois dans la soirée Vlad avait songé à le faire dépecer, jugeant l'idée amusante, mais sans doute pas encore opportune.

Sa mère. Il se souvenait. Elle ôtait en riant le chausson dont la pointe en cuir bouilli formait une coque. Elle tendait la pointe de son pied vers la bouche de Vlad, agenouillé devant elle. Il n'était pas encore si gros à l'époque, et elle était… C'est cela, parfaite, unique, au-delà de toute description.

Elle renversait la tête en arrière et un rire de gorge montait jusqu'à ses dents, mais elle le retenait. Il pouvait encore entendre le bruit de succion qui s'échappait des lèvres de Vlad alors qu'il tétait en fermant les yeux d'extase chacun des doigts de pied froissé, martyrisé par la danse.

SAN FRANCISCO, CALIFORNIE, 1er MARS.

Ne pas songer à Morris. Gloria était parvenue à évacuer son souvenir déplaisant durant les dernières heures, mais il parvenait parfois à s'imposer. Il y avait quelque chose chez cet homme jeune qui dérapait. James se trompait. C'était un homme, et aussi intelligent soit-il, un homme ne possède pas cet instinct qui dit qu'il faut fuir, se cacher, avant même que n'apparaisse l'odeur du prédateur.

Vider sa tête. Morris était loin, n'avait aucun moyen de remonter sa piste. Il fallait travailler. Elle soupira de déplaisir en installant son ventre derrière son bureau. Elle s'interdisait de compter les semaines qui la séparaient de l'accouchement, parce que leur interminable accumulation la rendrait folle. Finalement, seul son travail lui permettait d'oublier ce corps qui s'alourdissait, ces vagues de nausées qui n'en finissaient pas. Elle redevenait légère, donc insaisissable.

Un message de ce Français, Pierre, l'attendait. Il écrivait maintenant directement dans sa langue. Suivaient en fichier attaché quelques pages de commentaires d'un certain docteur Lemaire. Il ne s'agissait pas d'un rapport d'autopsie, plutôt des interrogations d'un homme coincé entre le secret professionnel et la crainte que son silence ne lui occasionne les pires heures de sa vie. Il s'en expliquait dans une courte lettre, en phrases contradictoires et embarrassées. Gloria la parcourut rapidement et plongea dans les notes d'anatomopathologie. Elle fut reconnaissante au médecin de la froide platitude de sa synthèse. La tendresse glaciale de la science. Les trois très jeunes filles avaient été tuées à un an d'intervalle, toutes égorgées de la même façon. Elles portaient à la base du cou deux courtes entailles très profondes. Le légiste concluait : « Exsanguination rapide » et précisait, sans doute à l'usage de Pierre, « la carotide est une artère, elle ne se collabe pas, le flot artériel est puissant ». Deux d'entre elles avaient déjà été mères, et la première chronologiquement était porteuse du virus du sida. Le docteur Lemaire continuait : « Je me demande si des meurtres similaires ont eu lieu dans d'autres villes françaises. Je n'ai connaissance d'aucune piste policière qui nous renseigne. Quoi qu'il en soit, chacune des deux blessures infligées était mortelle, et leur similitude dans les trois cas tendrait à étayer la thèse d'un unique criminel. Malheureusement, des échantillons en vue d'une empreinte ADN n'ont été prélevés que pour les deux dernières victimes, cette jeune fille accompagnée d'un garçonnet. » Il concluait : « Je pense avoir fait ce que mon devoir me commandait. Il est entendu, n'est-ce pas, que mon aide restera strictement confidentielle. »

Gloria recopia le fichier sur son disque dur avant de le transférer sur la messagerie de Cagney à Quantico.

Pourquoi se sentait-elle soudain si mal, qu'avait-elle à faire de ces paumées ? Bien sûr, la mort d'un être jeune, présumé innocent, est toujours regrettable, mais ce regret était si théorique pour elle. Alors pourquoi cette bouffée haineuse d'adrénaline, pourquoi ses doigts qui se crispaient si fort à l'intérieur de ses paumes qu'ils les blessaient ?

BOSTON, MASSACHUSETTS, 2 MARS, TROIS HEURES DU MATIN.

Il fallait qu'elle se rappelle le nom de cette rue. Ils étaient passés devant ce bâtiment dont l'enduit se léprosait par grandes plaques, protégé par de hautes grilles faites de couches de grillage superposées. Elle avait lu avec difficulté « Mission Saint John ». Ce n'était peut-être pas là qu'elle devait aller, mais c'était le seul endroit qu'elle connaissait. Tania ne pouvait pas demander, pas même à l'autre fille assise à côté d'elle. Elle cafterait pour se faire bien voir. Quant à cette femme qui traînait parfois, qui vous regardait sans oser vous aborder, attendant un sourire de connivence qui lui indique qu'elle pouvait s'approcher, celle-là était redoutable. Si visible, qu'elle avait dû se faire repérer depuis bien longtemps, et que lui parler serait suicidaire. La dernière fois, elle avait tenté le coup, abordant la femme en lui demandant bien haut du feu pour que le barman et le grand type blond – Stan, il s'appelait Stan – l'entendent. La femme savait, attendait un signe. Mais Tania avait pris peur lorsqu'elle avait détecté le léger mouvement de Stan du coin de l'œil. Elle avait remercié sèchement la blonde et tourné les talons.

Si elle parvenait à retrouver le nom de cette putain de rue, comment irait-elle ? Un taxi. Elle n'avait pas un sou, ils ne sont pas dingues, ils prennent tout, ils disent qu'ils placent l'argent. « Comme ça quand tu rentreras tu auras une belle dot et ta famille sera contente et fière de toi. Et puis, pense à ton gamin. Tu veux qu'il ait ce qu'il y a de mieux, n'est-ce pas, Tania ma douce ? » Foutaises, elle ne rentrerait jamais, elle le savait, sauf si elle se démerdait et vite. Et de toute façon, elle ne voulait jamais revoir leurs gueules d'enfoirés, à ses maquignons de père, de mère et de frères.

Elle faucherait du fric au mec. C'était quoi son nom, déjà ? Il fallait qu'elle se souvienne. Ça leur fait plaisir à ces cons, ils ont l'impression qu'ils existent un peu, qu'ils sont humains, que cette merde est un rapport partagé. Et c'est pour cela qu'ils payent. Pauvres débiles. Wayne, c'est ça. Il était pas mal imbibé, et après la partie de cul qu'il s'était programmée, il s'écroulerait. Tania aurait alors quelques secondes pour piquer de l'argent dans l'une de ses poches avant que les autres ne viennent la rechercher pour la fourguer à un autre client.

Elle accepta un autre whisky dans un sourire mouillé. Quoi ? Il croyait vraiment qu'il devait la saouler pour pouvoir la sauter ? Il n'avait pas encore compris qu'il suffisait de raquer ? Il filait le fric au barman, et selon la somme, il la tringlait dans les chiottes pour messieurs ou la petite piaule à l'étage. Quant au barème de ses gestes à elle, il était précis comme une partition. Selon le nombre de billets, elle suçait ou pas, se faisait mettre par-derrière ou pas, exigeait un préservatif ou pas, faisait semblant de jouir et d'en redemander ou pas. S'il aimait cogner, ou se faire tabasser, c'était possible aussi, il suffisait d'augmenter le prix de la passe. Qu'est-ce qu'il croyait ce gros con, qui suait de désir et bandait depuis un moment ? Au moins, il avait l'air à peu près propre, c'était toujours ça. Le moment venu, elle aurait moins envie de lui gerber sur le ventre, à Wayne. Ça lui était déjà arrivé. Quelle trempe elle avait prise, ce soir-là. La baignoire glacée. Les coups de poing où ça fait vraiment mal, mais dans l'eau pour que sa peau marque moins. Et si elle lui expliquait, à gros Wayne, que son fric achetait sa terreur à elle ? Mais le Danseur lui exploserait la gueule et peut-être qu'il finirait par la tuer. Après tout, pourquoi pas ? Tania avait lutté contre cette idée, trop peur, mais finalement, c'était sans doute la seule porte de sortie.

Lui, et encore lui. Si un jour il en avait envie, elle le sucerait avec délectation et elle lui arracherait la queue de ses dents. Et elle boirait son sang et peut-être qu'elle jouirait elle aussi, pour la première fois. Elle regarderait son ventre enfin plat, pisser le rouge jusqu'à ce qu'il en crève, le Danseur imberbe. Même si elle devait aussi y passer.

Mais il n'en avait jamais envie.

BASE MILITAIRE DE QUANTICO, FBI, VIRGINIE, 2 MARS.

James Irwin Cagney relut la traduction rédigée en style télégraphique que lui avait fait parvenir Gloria un peu plus tôt. Les blessures infligées aux gamines françaises étaient identiques à celles reçues par la jeune fille morte dans les bras de Kathy Ford. En raison de l'empreinte très spécifique des coups portés, il ne pouvait s'agir que du même tueur.

Gloria, reprenant les mots du légiste, terminait son mail d'un sec : « L'empreinte génétique réalisée à partir des deux derniers cadavres ne met en évidence aucun lien de parenté entre la jeune fille et le garçonnet. » Alors pourquoi était-il mort à ses côtés ? Pourquoi avait-on poussé la mise en scène jusqu'à l'allonger contre elle, comme pour qu'il se repose ? Avait-il été témoin, cherchait-elle à le protéger, était-ce lui la vraie victime désignée ?

Cagney tentait de remonter la piste du tueur en s'aidant des quatre mortes, mais qui disait que de jeunes enfants, peut-être de sexe mâle, ne s'ajouteraient pas à cette liste ?

L'idée traversa à nouveau son esprit et il la repoussa avec hargne. Non, Gloria et son génie analytique n'interviendraient pas dans cette affaire. C'était hors de question. Elle commençait à peine à supporter ce poids supplémentaire qui était d'eux deux. Rien ne devait lui permettre de reconstituer l'analogie qu'il s'efforçait de lui faire gommer : ventre égal douleur, ventre égal soumission, ventre égal mort. Car il ne s'agissait pas d'une coïncidence. Lorsque les coïncidences s'accumulent, c'est qu'elles veulent crier leur signification. La grossesse présente ou passée de toutes ces filles avait un lien avec leur mort.

Merde, la métaphore de l'aiguille et de la meule de foin se répétait, encore et toujours. À ceci près que, cette fois, il ne connaissait ni la nature de l'aiguille, ni la localisation de la meule. Qu'aurait dit Gloria, déjà ? Ah oui, il faut le même nombre d'équations que d'inconnues pour résoudre un problème. Or, il n'avait que des inconnues et aucune équation à laquelle s'accrocher.

Le coup frappé à sa porte le tira de sa nervosité.

Morris pénétra dans le bureau comme s'il s'était préparé de longue date à cet effort.

Un silence désagréable s'étira. Ce silence qui pèse lorsqu'on se demande qui doit parler et surtout pour dire quoi.

Morris commença :

— Il m'a semblé souhaitable de vous rendre une petite visite, monsieur.

— Oui ? Et ?

Morris déglutit. Cagney ne ferait aucun effort pour l'aider. Il s'en voulait de cette sorte d'incapacité face à cet homme qu'il avait tant admiré, et s'accrochait à tout son ressentiment afin de ne pas déraper vers cette conviction d'infériorité que Cagney et ses semblables ravivaient involontairement chez lui. Une affaire de classe. La classe de Cagney, de Barzan et même celle, bordélique, de Ringwood. Cette absolue certitude de sa place, de son importance dans la société. Sortir enfin du cycle débilitant de l'incessante recherche de preuves: se prouver que l'on est, que l'on peut, le prouver aux autres. Encore et toujours, en vain, bien sûr, puisque celui qui n'y croyait pas, c'était lui-même.

— Ainsi que vous le savez, je deviens le trait d'union entre votre unité et Harper.

— C'est ce que j'ai compris, en effet, répondit Cagney d'un ton neutre.

— N'y voyez aucune ingérence de la part du Bureau. C'est juste que les enquêtes que nous... enfin vous traitez reçoivent pas mal de publicité et...

— Ma parole, vous me prenez pour un vieux sénile, Morris? Bien sûr que c'est de l'ingérence, ou du moins un contrôle. Mais nous n'en ferons pas un plat, n'est-ce pas, nous sommes entre gens bien élevés. Donc, vous êtes chargé de la liaison dans l'affaire de cette jeune fille égorgée, c'est bien cela? Parce que voyez-vous, Morris, en ce moment, c'est la seule chose qui m'intéresse vraiment. Mais comptez sur moi pour refaire surface au moment de la curée politique. J'ai l'habitude.

— Où en êtes-vous du côté français? Harper me tient au courant. Mais peut-être avez-vous d'autres pistes.

— Pas très loin, du moins officiellement. Nous savons par d'autres sources que trois adolescentes ont été abattues là-bas de façon suffisamment similaire et spécifique pour justifier l'hypothèse d'un même tueur. C'est tout.

— Ce serait donc un serial killer et il opérerait maintenant sur notre territoire?

— C'est une possibilité. Puisque Harper semble si préoccupé par cette affaire, son intervention auprès des Français et d'Interpol ne serait sans doute pas superflue, pour faire accélérer le mouvement.

— Sans doute, je lui en parlerai.

Le silence retomba et Morris faillit commettre la bêtise de le meubler avant de se souvenir de cette phrase de son ancien supérieur : le silence est une arme, il force l'autre à parler, souvent trop. Il compta jusqu'à dix et se leva :

— Bien. Si vous avez autre chose...

— Je ne manquerai pas de vous en avertir.

— Ah, au fait... Ma femme et moi faisons une petite party, une sorte de crémaillère, et...

— Je suis très occupé en ce moment. Mes compliments et mes amitiés à Virginia.

Morris rougit sous le camouflet qui pourtant ne l'étonna pas. Il hésita puis se lança :

— Je ne me pardonnerai jamais la mort de Dawn, je voulais vous le dire.

— Pourquoi ?

— Pourquoi... quoi ?

— Pourquoi teniez-vous à me le dire ? Parce que selon vous le taire ne faisait pas assez sérieux ? Il vous faut un témoin ? Ne me dites pas que le souvenir de Dawn hante toutes vos heures. Alors c'est quoi, cette déclaration ? Une auto-absolution somme toute économique ?

Cagney ferma les yeux et sourit méchamment, avant de poursuivre :

— Ah, non, ce n'est pas vrai ! Pas cet accablant stratagème, Morris : vous voulez que je vous réconforte, que je vous rassure en prétendant que c'était une balle perdue, la faute à pas de chance ? Grandissez, Morris, acceptez l'idée que la souffrance n'est pas qu'un maquillage romantique. Elle existe bien mais n'a lieu d'être que lorsqu'elle signifie quelque chose. En conclusion, pourquoi ne pas plutôt tenter de convaincre votre femme avec votre infini regret ? Dawn est morte par votre faute, et vous vivez.

Morris le regarda, hésitant entre une folle envie de le cogner et celle de fuir. Il sortit du bureau de Cagney sans un mot.

BOSTON, MASSACHUSETTS, 2 MARS.

Vlad détailla en souriant le filet de sang qui unissait la narine à la lèvre de la fille. Elle sanglotait, protégeant ses seins de ses bras. Il leva à nouveau sa petite main grasse hérissée de lourdes bagues. L'adolescente tomba à genoux à ses pieds. Il ferma les yeux et caressa la jolie tête blonde pour s'empêcher de la frapper de toute sa rancœur. Mais elle serait inutilisable ensuite, durant des jours.

Ces inutiles minutes, son sexe qui commençait à frémir pour retomber aussitôt. Il repoussa violemment la jeune fille d'un coup de pied destiné à blesser. Elle tomba à la renverse en gémissant et il murmura d'un ton dangereusement doux :

— Casse-toi…

Sa voix s'emballa et il glapit d'un ton suraigu :

— Tire-toi avant que…

Elle se précipita vers la porte de la grande chambre.

Toutes des connes ineptes. Car ce n'était pas de sa faute, il pouvait bander, si, bien sûr, mais ces idiotes ne comprenaient rien. Qu'elles crèvent. Non, qu'elles rapportent d'abord du fric.

L'Europe devenait trop étroite pour lui, trop contraignante. Géniale idée d'Iggy que de passer la frontière canadienne avec une troupe de très jeunes danseuses. Des petites blondes charmantes en tutu. Grotesque, mais efficace. Un immense territoire, de l'argent à la pelle.

Iggy, Iggy ! Bien sûr, il l'adorait, mais un jour il le tuerait. Lentement, pour l'élégance des gestes, sans doute aussi pour effacer la beauté du Danseur qui l'ulcérait depuis des années, comme une injustice dont il était la victime désignée.

Un souvenir fit une incursion dans sa mémoire, offrant un silence provisoire à son exaspération : Levina, redressant le buste, le contemplant, une moue dégoûtée, agacée, au bord des lèvres. Il venait de jouir. Elle avait sifflé :

— Tu es un porc, Vladimir, répugnant. Tu pues, en plus.

Il avait ri, il aimait ses vacheries, les blessures qu'elle lui infligeait par caprice. Elle seule savait faire cela, parce qu'elle se foutait de tout, ne craignait personne puisqu'elle dominait tout le monde. Il lui avait tendu la petite boîte en velours noir qu'il dissimulait depuis son arrivée. Une paire de boucles d'oreilles lourdes de diamants y reposait. Elle les avait détaillées avant de déclarer d'un ton las :

— Je n'aime pas la forme, vulgaire. Comme toi.

Une fureur passagère avait secoué la danseuse, elle avait saisi une longue lime à ongles métallique sur sa commode et frappé de trois coups secs la graisse triomphante du bourrelet abdominal de Vlad. Dépitée, elle avait lâché l'arme improvisée, le regardant se plier en couinant sous la morsure de la petite lame triangulaire :

— D'ailleurs tu ne saignes même pas, c'est du lard. Pouah, c'est dégueulasse !

Une sorte de sérum rosâtre avait suinté des plaies, elle avait rectifié en haussant les épaules :

— Enfin, presque pas, ce n'est pas du vrai sang, juste une vilaine mascarade, comme toi. Va-t'en maintenant, tu m'ennuies. J'attends quelqu'un d'autre. Allez !

SAN FRANCISCO, CALIFORNIE, 2 MARS.

Foutaises. Ne pas voir de signes où ils n'existent pas, surtout ne pas en inventer. Trente-sept milliards de femmes avaient donné la vie depuis l'origine de l'Homme. Ce ventre n'était donc pas synonyme de tombe.

Gloria reposa le mince dossier jaune qui protégeait les mails de Pierre, la note embarrassée du légiste français et la feuille sur laquelle elle avait gribouillé de mémoire ce que lui avait dit James au sujet de cette jeune victime bostonienne. La vague angoisse qui la tenait depuis qu'elle était rentrée de Little Bend se dissipait pour laisser place à une sorte de colère diffuse.

Merde ! Pourquoi se plongerait-elle dans cette histoire ? Elle n'était pas payée pour cela. Elle ne connaissait pas ces filles, victimes inconnues allant grossir l'effectif anonyme des morts que personne ne réclamera jamais et dont tout le monde se fout. En toute logique, il n'existait aucun lien entre elle et elles. En ce cas, pourquoi revenait-elle à ce dossier depuis plusieurs jours ? Le cas d'école, peut-être ? James avait précisé qu'il est rare qu'un homme seul, hors la meute, martyrise une femme visiblement enceinte, sans doute parce qu'elle lui rappelle qu'il est né lui aussi d'un ventre. Les exceptions sont toujours fascinantes même lorsqu'elles sont monstrueuses, parce qu'elles rejoignent ce que Barzan nommait d'un ton respectueux mais méfiant : la poésie. La poésie possède une logique intrinsèque mais variable, une de ces logiques circulaires très difficiles à décrypter.

Non, rien à voir avec une poésie sanglante et vomitive. Le lien, c'était son ventre, autant l'accepter, même si cette constatation rendait encore plus évident le paquet de cellules en gestation qu'elle hébergeait.

Une bouffée de rage lui fit crisper les maxillaires. Elle avait tant lutté ces derniers mois contre l'idée que le ventre engendre la souffrance et la mort qu'elle ne permettrait pas à un autre tordu de lui faire perdre cette bataille-là. C'était son acceptation de la vie, et personne ne l'obligerait à lâcher prise maintenant.

Gloria murmura, dents serrées, sans trop savoir à qui elle s'adressait :

— Dégénéré, tu ne m'auras plus, c'est moi qui te ferai la peau.

Sui generis, trouver l'essence de la chose, percer la nature du problème afin d'approcher de sa vérité.

Elle n'avait pas assez de données fiables, ne pouvant se baser que sur les quelques bribes d'informations qu'elle avait accumulées jusque-là. Le rapport de Zhang et de Drake, il le lui fallait, mais elle devrait convaincre James qu'elle n'était plus une enfant dont on jette en cachette le jouet qui vient de la blesser pour lui faire oublier son chagrin et sa douleur. Fini, parti le vilain. Plus bobo, parti.

Elle gloussa. Un verre, ce coup-ci elle allait céder, un verre pour le combat.

BOSTON, MASSACHUSETTS,
NUIT DU 2 AU 3 MARS.

Il était tard, peut-être même très tôt.

Ce type, Stan, était venu le chercher quelques heures auparavant. Une urgence, avait-il précisé. Stan était un des nombreux gardes du corps et pourvoyeur de chair jeune de Vlad. Le Danseur le connaissait de vue.

Il regardait un beau dessin animé à la télévision, entouré de ses anges, lorsqu'il avait sonné à l'Interphone. L'idée de devoir quitter la tendresse douillette du canapé qui accueillait ses belles chéries l'avait instantanément mis de mauvaise humeur. Surtout pour se traîner jusqu'à cet ancien hangar industriel situé à plus de trente kilomètres de Boston, en pleine nuit. D'autant que le scénario ne varierait guère, il l'aurait parié.

Ce que c'était ennuyeux, cette histoire. Vlad faisait chier, et de plus en plus souvent. La réalisation de ses pires fantasmes lui prenait trop de temps et d'énergie. La vulgarité du gros homme devenait insupportable. Le tuer eût été la meilleure solution, bien sûr. Mais

Iggy était parfois pris d'une crainte superstitieuse. Et si ce gros porc disait vrai, s'il était immortel ? Et puis, le Danseur ne connaissait pas ses contacts, et sans eux, le marché très florissant monté par le gnome se tarirait. Or il lui fallait de l'argent, beaucoup d'argent et du temps pour mener à bien son miracle.

Il soupira, l'exaltation le reprenait. Il allait la trouver, la parfaite réplique, et ils danseraient tous les deux, et les foules chavireraient à nouveau, pleureraient de délice lorsque ses reins se renverseraient entre les bras de son fils. Et ils deviendraient une légende, ensemble, enfin. Ce que la biologie leur avait refusé à tous deux, son génie le leur offrirait. Il avait tant travaillé depuis.

Son regard effleura la forme nue tassée devant lui. Ah oui, la fille, s'en occuper. Il remonta le long du ventre blanc et mou, évita de parcourir la ligne des seins, trop lourds. Des mamelles. Elle le dégoûtait. Flasque, pâle, rien à voir avec les longs muscles minces et si durs de sa mère, dans le souvenir desquels il s'endormait la nuit. Ses cheveux gras étaient emmêlés, et son Rimmel avait coulé, laissant de répugnantes traces noirâtres le long de ses joues. Des stries rouges et bleuâtres ressortaient en bourrelets sur sa peau livide.

Le Danseur se tourna de profil vers Stan debout, adossé au chambranle de la large porte métallique qui condamnait l'entrée du hangar.

— La baignoire est pleine ?

— Oui, monsieur.

La fille hoqueta et s'aplatit face contre terre à ses pieds. Elle sanglota :

— Non, non, je vous en prie !

Le Danseur répondit gentiment :

— Ta gueule, Tania, tu m'ennuies. Tu geins, tu geins, trop de bruit. Si tu crois que j'ai envie d'être ici !

Elle hurla :

— Je suis désolée, je n'ai rien fait, je jure !

Un coup de pied assené contre le flanc lui coupa le souffle. Un sourire amusé aux lèvres, il murmura d'un ton très doux :

— Je t'ai dit de la fermer. Tu me crispes. (Puis, plus autoritairement :). Stan, mets-nous de la musique, tu veux. On s'emmerde ici. Quelque chose d'enlevé. Tiens, la danse hongroise de Brahms, la 6 en ré majeur. (Agacé par la lenteur de l'homme, il précisa d'un ton mauvais :) Mais là enfin, un de ces CD, ce n'est quand même pas sorcier de placer un compact dans une chaîne ! J'aime beaucoup cette danse. On voit une multitude de petits pieds gainés de satin avancer sur un grand parquet ciré. C'est rapide, si rapide pour les petits pieds mignons.

Il attendit, tapotant la cadence du bout de son chausson de cuir noir contre l'épaule de la fille à plat ventre devant lui. Les accords joyeux le détendirent, allégeant un peu son humeur morose :

— Oui, c'est parfait.

Il soupira, paupières closes. Il était un peu fatigué. Rentrer, retrouver les petites amours qui s'étaient sans doute endormies sur le canapé en l'attendant. Car elles n'auraient pas osé bouger sans sa permission. Il rouvrit les yeux, et la réalité le fit replonger dans son aigreur. Bon, en finir au plus vite et partir d'ici.

— Lève-la, Stan. On y va.

Il fallut tirer la fille hurlante, la traîner vers la réserve où étaient installées les baignoires. Le Danseur aplatit violemment son poing contre son ventre nu pour la faire basculer dans l'eau glacée. Après deux ou trois fâcheux accidents, il avait fini par calibrer le temps d'immersion. Elles étaient trop grasses et trop camées pour résister longtemps en apnée, surtout sous les coups. Mais dans l'eau, elles marquaient moins et restaient vendables. Il fallait commencer par trente secondes et puis, progressivement, augmenter jusqu'à la suffocation, puis parfois la noyade. Il préférait le rasoir, plus net, plus rapide, plus élégant. Mais celle-là devait parler avant.

Il la tira de l'eau par les cheveux et s'écarta de justesse lorsqu'elle vomit.

— Qui est cette femme ?

— J'sais pas, je comprends pas.

Le Danseur la lâcha et elle glissa sous la surface de l'eau jaunie par sa bile. Ensuite, il appuya de la main sur son abdomen. Les secousses anarchiques de ses jambes faisaient déborder l'eau en vagues, et le Danseur claqua la langue d'exaspération lorsqu'un de ses chaussons fut inondé. Quarante secondes, maintenant. Quel ennui.

— Qui est cette femme ? Elle traîne depuis quelque temps dans les bars où vous êtes placées. Qui est-elle ?

— Je... C'est une ancienne pute. Je ne sais pas qui c'est, je te le jure sur ma tête. Je ne lui ai pas parlé.

— On t'a vue discuter avec elle.

— Non, non... Je lui ai demandé du feu, c'est tout. Non, arrête, je t'en prie.

— Que comptais-tu faire avec le fric que tu as voulu dérober à ce gros mec ? Lui donner ? Pourquoi ?

— Non, non, je voulais me tirer, prendre un taxi. C'est tout.

— Tu mens, Tania, tu nous retardes, là. Cette pute a monté une combine pour faire sortir les filles ?

— Non, mais non... je ne la connais pas ! Je te jure, je t'en prie, le Danseur, j'ai fait une connerie, je suis si désolée, plus jamais, mais...

Il soupira et murmura en repoussant le corps glacé vers le fond de la baignoire :

— Tu as raison d'être désolée, Tania. Et ce sera la dernière fois, en effet, rassure-toi.

L'eau l'enveloppa à nouveau, la givrant comme si sa peau lâchait sous la coupure du froid. Trouver quelque chose, n'importe quoi, ils allaient la tuer, comme les autres qu'on ne revoyait jamais. Elle avala une pleine gorgée et soudain ses poumons commencèrent à lâcher. Elle se débattit, tentant de griffer pour faire céder la pression des mains qui la maintenaient au fond de la baignoire, plaquée contre l'émail. Et l'eau dévala dans les bronches, collant l'épithélium.

Ses muscles se relâchèrent pour la dernière fois sur les accords heureux rythmant la course légère des petits pieds de satin rose.

Le Danseur se redressa et passa la main sur son pantalon de laine fine et noire. Trempé. Bien sûr, il était trempé de la tête aux pieds. Exaspéré, il siffla :

— Dis à Vlad... Non, rien.

Il ne pouvait rien dire ou faire, pas pour l'instant. Sa mauvaise humeur se focalisa sur Stan :

— Bon, tu me raccompagnes chez moi ? Je ne vais pas y passer la nuit, en plus.

Au comble de l'agacement parce que l'autre le fixait d'un regard de veau, il tapa du pied rageusement :

— Parce que vous n'espérez pas que je m'occupe en plus de... ça ! fit-il en désignant la baignoire d'un mouvement délicat des doigts.

Impressionné, Stan répondit avec empressement :

— Oh non, monsieur Iggy, certainement pas. Je m'en charge.

— Ah, quand même !

BASE MILITAIRE DE QUANTICO, FBI, VIRGINIE, 3 MARS.

Andrew Harper s'était pas mal agité la veille. Il avait reçu l'assurance des Français et d'Interpol que leur requête serait traitée en urgence, parmi les autres urgences. Les contacts moins officiels qu'il avait eus avec le directeur de la Police judiciaire n'avaient pas donné grand-chose. Ainsi que le lui avait confié Antoine Charley, ses flics étaient eux aussi convaincus d'avoir affaire à un serial killer connaissant fort bien la topographie des berges de la Seine, sans que rien d'autre ne leur permette d'espérer une capture rapide. Les corps des deux premières victimes enterrées sous «X» avaient été exhumés aux fins de double expertise légiste, et surtout d'analyses génétiques. Concluant son compte rendu, Harper avait précisé:

— L'avantage avec les Français, James, en dépit d'un système judiciaire que j'ai du mal à comprendre, c'est qu'ils se foutent du prix de revient d'une enquête. Si le juge d'instruction en donne l'ordre, les flics peuvent expertiser, contre-expertiser jusqu'à la solution.

— Et dans ce cas, nous serions tombés sur le « bon » juge d'instruction ?

— Oui, c'est une femme. Charley la connaît bien. Pas marrante, mais pugnace, teigneuse. Les analyses ont été confiées au labo de la police de Toulouse. Ma femme connaît bien la ville...

Cagney songea que c'était en effet un critère d'excellence mais demeura coi.

— ... D'après Zhang et Amy Daniels du Russel Building, ils ont un matériel et un personnel qui n'ont rien à envier au nôtre.

Cagney se contenta d'un peu compromettant :

— Remarquez, la police scientifique est une invention française.

— Sans doute, mais nous lui avons donné ses lettres de noblesse, non ?

Cagney reposa le squelettique dossier « Blonde X » et dériva, paupières mi-closes. Blanc, c'était un blanc, entre vingt-cinq et quarante ans, organisé et d'une intelligence sans doute supérieure à la moyenne puisque les meurtres de Paris n'avaient pas été commis sur place, mais que les cadavres avaient été transportés *post mortem*. Il avait donc minimisé le risque de se faire repérer et celui d'abandonner des indices. Sociopathe, pas de connotation sadique particulière, pas d'évocation sexuelle forte. Une ritualisation minimale, les blessures ayant eu pour seul objet de provoquer la mort, en dépit des traces de coups *ante mortem* relevées chez certaines des victimes. En d'autres termes, une intelligence suffisante pour dépasser les symboles les plus évidents.

La sonnerie de sa ligne directe le ramena à la réalité. Au ton de Gloria, il comprit avant qu'elle ne formule sa question qu'il était face à ce qu'il redoutait depuis qu'elle avait reçu les mails de ce Français.

Surtout ne pas faire étalage de la trouille, de la

fureur qu'il sentait monter. Cela ne servait jamais à rien avec Gloria. Cagney demanda d'un ton courtois :

— Pourquoi as-tu besoin de ce rapport d'autopsie et du témoignage de Kathy Ford ?

— Parce que le rapport est une donnée objective.

— Le Bureau, moi, ne t'avons pas confié cette affaire.

— Sans blague ! Et alors ? Je suis une citoyenne, n'est-ce pas ? Ça me donne le droit de m'intéresser à ce qui se passe dans mon pays.

— Ce rapport est confidentiel, Gloria.

Un long soupir, puis la voix sèche, blessante, sa voix d'avant :

— Votre foutue confidentialité n'a pas protégé ces gamines, si je ne m'abuse ?

— Là n'est pas la question...

— Oh que si ! La question, c'est bien tes alibis. Quoi, je suis enceinte et le fait qu'on égorge une femme enceinte va me coller des cauchemars ? Mais pour qui tu me prends ? Une gourde ? La grossesse constituerait-elle donc une forme d'annihilation des facultés intellectuelles d'une femme ? (Un silence, puis elle poursuivit d'un ton plus doux :) Je n'ai pas attendu cette pauvre fille pour les cauchemars, James. Ils ne naissent pas d'elle ou des autres. Ils sont de moi et de lui. Au contraire, sortir son meurtrier de l'impunité, c'est ouvrir une porte, faire entrer un air un peu moins vicié. Me prouver qu'il, l'autre, le mien, est mort, vraiment mort. Qu'il ne peut plus revenir.

Il hésita. Une peine si douce, l'envie de toucher sa joue, de lui dire que si le bonheur est une inconscience, c'est aussi parfois une obligation.

— Tu me dis la vérité ? C'est vraiment ce que tu penses, sans vouloir me rassurer ?

Elle rit de ce froissement grave de gorge qui le nettoyait des heures passées :

— Te rassurer ? Mais tu n'as rien compris ! C'est toi qui me rassures, James, qui m'assures du futur. Oui, c'est la vraie vérité. Enfin, pour ce que j'en sais.

— Bien. Je te les amène ce soir. Gloria, je ne veux pas que tu te boucles dans ta tête sur ce coup, c'est clair ?

— Très clair.

— Tu es d'accord ?

— Si je ne l'étais pas ?

— Je ne te donnerais pas le dossier et c'est définitif.

— Je n'ai pas le choix, c'est cela ?

— Juste. Je veux une parole.

— Tu l'as.

— Dis-le.

— Je te donne ma parole que je ne plongerai pas dans cette affaire sans toi.

— Je t'aime.

— Je sais.

— Et toi ?

— Plus tard. Ce soir.

SAN FRANCISCO, CALIFORNIE, 4 MARS.

Le ciel gris-violet de la fin de nuit virait, récalcitrant, admettant sans hâte une pingre lueur.

Une vague de panique réveilla Gloria en sursaut. Elle chercha en vain son origine et décida de se lever. Merde, son pouce était encore gluant de salive et gardait incrustée la trace de la pression de ses incisives. Après tout, quelle importance cela avait-il ? Régressif, masturbatoire, oral, et alors ? En quoi le fait de se conformer à une certaine norme adulte rend-il la vie plus vivable ? Gloria avait depuis longtemps organisé ce qu'elle nommait en se gaussant « ses structurations aberrantes » en deux sous-catégories : les mortifères qui la tiraient vers l'annihilation et les autres, celles qui lui permettaient de survivre. Des couches superposées d'aberrations qui s'annulaient l'une l'autre, lui permettant quand même de fonctionner. Aucune envie d'aller fouiller là-dedans, aucune envie de faire un ménage de l'esprit. L'ensemble tenait à peu près debout depuis si longtemps, et c'est ce qui importait. James, bien sûr, aurait des réserves. Normal, le bordel de l'âme était son métier. Mais James dormait encore. Elle descendit se préparer une pleine théière de Tari Souchong.

Elle éprouvait de plus en plus de difficultés à dormir, se tournant et se retournant dans l'espoir de parvenir à caser au mieux son dos et son ventre. La fuite du sommeil ne la gênait pas vraiment, l'insomnie étant devenue au fil des années une habitude de plus. Mais ce corps d'homme assoupi à ses côtés l'agaçait. C'est terrible, le sommeil de l'autre, ce constant rappel d'une solitude que la promiscuité de la chair rend injuste. Du reste, elle supportait difficilement cette mitoyenneté des corps. Pourquoi fallait-il dormir ensemble ? James y voyait-il une démonstration, l'irréfutable preuve qu'il partageait un territoire commun avec elle ? Non, il était au-dessus de cela. Mais pour Gloria ce partage de draps se résumait de plus en plus à une épreuve d'inconfort.

Elle s'installa derrière la ligne massive de ses trois ordinateurs et attendit sans hâte que son « digestor » l'identifie et lui permette d'accéder à l'énorme programme mathématique qu'elle avait mis au point au fil des ans, mêlant les plus gros logiciels de traitement de données qu'utilisent les laboratoires de recherches et l'armée.

Descendre, descendre dans sa tête, sans mièvrerie ni *a priori*. Agencer les données, trouver la loi mathématique qui les ferait parler. Ne pas se laisser duper par le recours à l'instinct. Hugues de Barzan affirmait que l'instinct n'existe pas chez l'Homme. Pourtant, nous adorons nous convaincre du contraire, sans doute parce que nous associons cette sorte de prescience à une magie si primitive qu'elle nous rapproche de Dieu. L'instinct comme fragment d'un pouvoir divin : je sais sans avoir appris. Selon Hugues, ce que nous nommons « instinct » est une des plus magnifiques illustrations de la mathématique bayésienne.

Tous les animaux supérieurs apprennent, seul l'Homme sait transmettre son savoir au-delà de la génération qui lui fait suite. L'Homme est *sapiens*, il apprend, il sait, se souvient, anticipe. Le savoir s'entasse sans qu'on en prenne conscience. Il finit par tant envahir, modifier, qu'on perd la notion de son existence. Mais la science est austère, elle se prête difficilement aux fables que nous aimons tant, et elle tue les rêves. La sonnerie du téléphone résonne, on décroche pour entendre la voix de cet ami auquel on pensait justement quelques heures plutôt. Notre besoin de magie rectifie aussitôt l'histoire : on pensait à cet ami, à l'instant. Se forge bientôt la démonstration d'une sorte de télépathie, d'un pouvoir supérieur de divination qui gomme le reste, la science, parce qu'elle est si triste. La science, elle, dirait : cet ami a téléphoné après presque un mois de silence. Ce mutisme était étonnant de sa part puisqu'il téléphone en général chaque semaine, aussi s'en étonnait-on. C'est cela l'explication logique, les statistiques bayésiennes, et Gloria admettait qu'elles manquaient du charme de l'improbable.

Elle pianota quelques minutes, gardant à l'esprit le lien si puissant que tisse la connaissance au sens large autour des actions humaines.

Toutes les victimes étaient de sexe féminin sauf une, blondes, très jeunes, toutes avaient été retrouvées vêtues comme des poupées un peu désuètes, égorgées, mêmes blessures. Elles partageaient en plus un autre point commun : une maternité trop précoce pour être anodine. La localisation des meurtres posait une question : la France et les États-Unis. Était-ce une variable à prendre en compte, en d'autres termes, cela signifiait-il quelque chose de particulier ? Au contraire, s'il s'agissait d'une donnée parasite, le meurtrier avait tué là où il se trouvait et peu importait la géographie, il aurait tout aussi bien abattu des filles en Allemagne ou en Espagne. Restait donc à comprendre si un élément spécifique en France et ici avait contribué à engendrer les meurtres.

Merde, elle n'avait pas grand-chose. Deux autopsies rapides, celles des deux premières victimes françaises et deux autres si exhaustives qu'elles devenaient source d'erreurs.

La sensation d'une présence. La qualité du silence qui change. Elle leva le nez de l'écran. James se tenait dans l'embrasure de la porte, hirsute, son tendre regard de myope hésitant encore dans l'après-sommeil.

— Tu travailles depuis longtemps ?

— Je ne sais pas.

— Ça veut dire que je te dérange, c'est cela ?

Gloria réprima un sourire :

— Oui.

Il haussa les épaules et décida :

— Bon, je ne m'incruste pas. Je descends préparer le petit-déjeuner. Tu me diras ?

— C'est cela, c'est bien.

Elle replongea dans les tableaux hachés de colonnes.

Elle croisa les paramètres. Non, il ne s'agissait pas de valeurs quantitatives, du reste, c'était rarement le cas avec les tueurs, sauf peut-être le premier, ce Lady-Killer qu'elle avait permis d'arrêter et qui avait failli la tuer[1]. Il s'agissait de variables qualitatives. Ces filles avaient toutes été massacrées parce qu'elles partageaient certaines qualités caractéristiques : physiques ou autres. Blondes ? Oui, d'accord, elles étaient blondes comme un bon tiers de la gent féminine. Jeunes, très jeunes, oui, ça, c'était déjà plus utilisable. Que faisait ce jeune garçon allongé

1. *La Parabole du tueur*, Le Masque, 1998.

sur les genoux de cette fille en France ? La sonnerie du téléphone la fit presque bondir

La voix, celle qu'elle avait filtrée toutes ces années. Gloria la connaissait bien, même lorsqu'elle butait sur les mots parce qu'il était saoul et désespéré. Une vague glacée dévala le long de ses poumons. Aujourd'hui, la voix était essoufflée, parvenant difficilement au bout des mots, comme s'il avait longtemps couru.

— Gloria Parker-Simmons ? Jude Morris.

— Oui, je sais.

— Ah ! Comment allez-vous ?

— Souhaitez-vous vous entretenir avec James Cagney ?

— Euh… Oui.

— Bien, je vous le passe.

— Attendez, je…

Elle reposa sèchement le combiné sur la lourde plaque en érable pour qu'il comprenne qu'elle n'écoutait plus.

Elle descendit à pas lents l'escalier qui menait au grand salon et pénétra dans la cuisine :

— Jude Morris, pour toi, dans le bureau.

Le changement soudain de l'expression de James la troubla, sans doute parce qu'elle n'avait jamais songé qu'il pût un jour avoir l'air d'une brute. Le beau visage d'homme intelligent pâlit, les maxillaires se crispèrent jusqu'à tendre la peau superficielle de son menton, le regard perdit cette lucidité bienveillante, les lèvres se serrèrent, mauvaises.

Il cracha entre ses dents :

— Ce con commence vraiment à me faire chier !

Il lança le torchon qui lui ceignait les reins sur la paillasse en teck roux et fonça vers l'escalier.

Gloria resta interdite, sa propre colère disparue. Finalement, l'invasion de Morris chez elle par l'intermédiaire du téléphone lui était indifférente, mais la fureur soudaine de James lui faisait peur, parce qu'elle n'était pas certaine de son origine.

Lorsqu'il revint, il était blême, l'air épuisé. Elle l'interrogea des yeux.

— Il prétend ne pas avoir pu joindre mon portable. C'était un mauvais prétexte pour appeler ici. Enfin, du reste, je ne sais plus. Une autre blonde très jeune, qui flottait dans la baie du Northend, à Boston.

— Égorgée ?

— Non, noyée. Des traces de coups et de brûlures un peu partout sur le corps. On n'en sait pas plus pour l'instant. Barbara Drake, de l'Institut médico-légal, est sur le coup. Zhang la rejoint.

— Rien n'indique un lien avec l'autre jeune fille, si ce n'est la localisation. Combien de filles sont retrouvées mortes à Boston tous les ans ?

— Oui, tu as raison, mais j'ai un doute.

— L'instinct ?

— Tu n'y crois pas plus que moi, ma chérie. Non, une très longue habitude de la monstruosité, et elle aussi possède une logique.

BASE MILITAIRE DE QUANTICO, VIRGINIE, 6 MARS.

Lionel Mary Glover souffla bouche entrouverte, et frotta ses paumes l'une contre l'autre. Le froissement sec de la peau contre la peau irrita un peu plus Cagney.

— Écoutez, Glover, ça ne m'amuse pas davantage que vous. C'est comme ça.

— Ils vont hyper mal le prendre. C'est des bons flics.

— Quelqu'un a-t-il mis leurs compétences en doute ? Ceci est devenu une enquête fédérale, et Gordon et Da Costa en sont déchargés.

— Oui, mais c'est à moi de leur faire comprendre !

— Si les conflits vous inquiètent, il fallait devenir baby-sitter, Glover.

La sortie fit mouche, et Glover baissa les yeux en murmurant :

— Bien, monsieur.

— Je peux bien sûr m'en occuper, mais mon intervention sera encore plus hiérarchique et passera sans doute encore moins bien. À vous de voir.

— Non, vous avez raison. Je vais leur expliquer.

— Amy Daniels a promis de m'appeler un peu plus tard. Je vous préviendrai si j'ai quelque chose. Merci, Glover.

Lionel Mary Glover réintégra son bureau. Il passa une bonne demi-heure à rectifier l'ordre martial qui régnait entre les quatre murs de son mini-bunker dépourvu de fenêtre. La baie vitrée qui donnait sur le couloir, lui aussi aveugle, avait été décorée de persiennes à lames gris clair, sans doute pour faire songer à une ouverture sur l'extérieur. Une gigantesque et très silencieuse taupinière. Ses occupants habitaient quasiment en permanence les interminables boyaux qui sillonnaient les sous-sols du Jefferson Building. Une sorte d'univers souterrain, à part, dont la fonction était de veiller à l'état du monde au-dessus. Le fantasme d'Hoover s'était réalisé : l'abri antinucléaire qui devait protéger l'Homme des radiations protégeait l'Homme de l'Homme, sa plus sérieuse menace.

Il décrocha enfin son téléphone et commença à former un numéro, avant de raccrocher en jurant :

— Putain de merde !

D'un strict point de vue technique, il aurait dû appeler le capitaine Paul Baker, ou même Da Costa. Mais il ne le ferait pas, en souvenir de ces cheveux gris argent en bataille sur son torse, de cette crise de larmes qu'elle avait eue juste après l'orgasme. Il était resté tétanisé, la plaquant contre lui, au bord des larmes lui aussi parce qu'il ne savait pas d'où lui venait son chagrin. Bon, d'accord, il était amoureux, mieux, il l'avait admis très vite, peut-être même avant qu'ils couchent ensemble. Ce n'était pas la première fois, même si ce coup-ci l'euphorie de la passion se mâtinait déjà de la peur de la perdre. Tout était tellement cru avec elle, sans parodie, sans stratégie. Ce matin-là, leur premier matin, elle l'avait fixé par-dessus la table du petit-déjeuner. Glover était heureux, comme on se sent bien après une nuit parfaite. Elizabeth-Ann avait débité d'un ton plat :

— Bon, qu'est-ce qu'on fait ?

— Pardon ?

— Oui, que fait-on ? Écoute, Lionel, j'ai passé l'âge des passades adolescentes et je me suis pas mal plantée. Alors je préfère que les choses soient claires. Si c'est comme ça... un truc sympa, avec du sexe génial, c'est d'accord. Si c'est plus, c'est encore plus d'accord. Mais je veux savoir, parce que, pour ne rien te cacher, j'ai assez morflé comme ça.

Il était resté sans voix quelques secondes, puis avait murmuré :

— Et on prétend que les femmes sont romantiques !

— Oh, mais elles le sont, c'est du reste pour cela qu'elles en prennent plein la gueule... Au propre et au figuré dans mon cas. Alors, bien sûr, à moins d'être suicidaires, ça finit par leur passer.

Une peine étrange lui avait fait baisser les yeux. Sa mère, les coups qui pleuvaient sur le visage de sa mère. Son père ivre qui cognait comme s'il pouvait se venger des autres sur elle, se rembourser d'une vie de galère et d'humiliations. Il avait tendu la main vers le visage d'Elizabeth-Ann :

— Je les hais, ces cogneurs de femmes, d'enfants !

— Tu vois, le problème, c'est que c'est moi que j'ai fini par détester.

Elle avait couché cette joue si pâle dans sa paume brune.

Putain, comment allait-il lui annoncer que l'enquête leur échappait ? Il avait la trouille, lui qui n'avait presque plus peur de rien.

— Détective Gordon, Boston PD.

— Squirrel ?

— Ah, salut. Comment ça va ?

— Comme ça.

Elle marqua une hésitation mais reprit d'un ton jovial :

— Ouh, là, ça n'a pas l'air génial.

— Non. Écoute... j'ai une mauvaise nouvelle. J'ai préféré t'appeler.

Elle plaisanta, incertaine :

— Tu viens de rencontrer la femme de ta vie, elle est Noire et elle plaît à ta sœur Tricia.

Il se détendit un peu :

— Non, j'ai en effet rencontré la femme de ma vie, elle est Blanche et elle va plaire à ma sœur Tricia, qui est pourtant très difficile, et cela bien que ladite fiancée soit flic au Boston PD. Ma sœur voulait que je me trouve une charmante médecin ou professeur. Vétérinaire, aussi, elle aurait bien apprécié.

Elle rit :

— Alors, tout baigne.

— Non. L'enquête sur ces deux filles vous est retirée.

— Quoi ? Mais vous rigolez des genoux, là...

— C'est définitif, Squirrel, c'est le Bureau qui reprend et c'est comme ça. Mais votre collaboration est bien sûr la bienvenue.

— Pourquoi, vous avez besoin de femmes de ménage pour vos locaux ?

— Ma mère était femme de ménage.

— Tu sais parfaitement ce que je veux dire, répliqua-t-elle d'une voix suraiguë.

Il soupira. Squirrel était aussi emportée qu'elle était généreuse. Il attendit les hurlements et les insultes. Un silence. Un long soupir puis la voix à nouveau grave, cette voix de nuit qui lui filait des frissons sur les avant-bras :

— Bon. Je suppose que ça veut dire qu'ils, enfin vous, mettrez le paquet pour trouver qui a explosé ces gosses. Ça me fait chier, mais je me dis que c'est sans doute mieux. Je vais en parler à Bob, mais je sais qu'il sera d'accord avec moi. De toute façon on continuera à vous aider. On est sur place.

Il hésita :

— Tu ne m'en veux pas ?

— Je ne peux pas t'en vouloir. Je ne veux pas. Alors, je vais te dire. Coincez celui qui a fait cela pour nous et on sera quittes. Après tout, comme dit Bob, ce qui compte, c'est que d'autres nanas n'y passent pas.

Lorsqu'il raccrocha quelques minutes plus tard, Glover hésitait entre cette joie enfantine des gens amoureux et une sorte de malaise : Elizabeth-Ann venait de lui faire cadeau de SON enquête comme elle lui aurait confié sa vie. Redoutable marché qui ne tolérait aucun échec.

Ringwood passa la tête par l'entrebâillement de la porte :

— James est en ligne avec le docteur Amy Daniels. Vous venez ?

Ils s'installèrent en réponse à son vague signe de main. Cagney poursuivit sa phrase :

— ... Amy, je branche le haut-parleur. Ringwood et Glover sont avec moi. Ça ne vous ennuie pas de reprendre pour eux ?

— Bonjour, Richard et Lionel ! s'exclama la voix plaisante du docteur Daniels. Je disais donc à James que Barbara Drake vient de faxer son rapport préliminaire, vous ne devriez pas tarder à le recevoir. La gamine repêchée dans la baie de Boston est bien morte noyée, à ceci près qu'elle a bu la tasse finale ailleurs, dans de l'eau chlorée. On en est certains à cause des algues microscopiques retrouvées dans ses poumons, et qui ne concordent pas avec les diatomées qui peuplent la baie de Boston. Il faut dire que ces micro-organismes résistent à tout, même au chlore, grâce à leur enveloppe siliconée. Le labo a retrouvé la même espèce de diatomée dans les poumons et la moelle de la victime. C'est donc qu'elle était vivante, pour peu de temps, lorsqu'elles ont pénétré dans l'organisme.

— Une piscine ?

— Non, pas assez chlorée. Il s'agit d'eau de distribution, de l'eau du robinet, quoi. Elle portait pas mal d'hématomes plus ou moins résorbés, ce qui indique qu'elle se faisait régulièrement tabasser, mais aux marques de prise récentes, il est clair qu'elle s'est bien défendue avant de mourir. Euh... attendez, je lis le rapport en même temps. Des traces de brûlures de cigarettes. Âge, environ treize-quinze ans d'après la denture. Elle venait d'avorter.

— Pardon ?

— Elle venait d'avorter, un avortement maison si je puis dire. L'utérus n'est pas encore complètement involué, son volume correspond à peu près à une grossesse de quatre-cinq mois. Drake précise : « On distingue nettement à la coupe une zone brun-rouge correspondant à l'aire placentaire et une zone plus claire et plus régulière qui signale l'aire membraneuse. L'insertion placentaire reste visible environ une semaine. Cela ajouté à la persistance de débris fœtaux signe un avortement récent non assisté médicalement. » Concernant la toxicologie, nous aurions sans doute encore patouillé un peu si les Français ne nous avaient pas précédés. On aurait fini par trouver mais... Toujours est-il que les deux jeunes filles, les nôtres, étaient défoncées au flunitrazépam, entre autres, comme la dernière victime française.

— Ça sert à quoi ? demanda Ringwood.

— C'est une benzodiazépine normalement prescrite comme somnifère. Il se trouve que son usage est détourné parce qu'elle a des propriétés euphorisantes, surtout en association avec des amphétamines, comme c'est le cas ici. Les braqueurs l'utilisent pour se donner un coup de fouet. Les macs aussi, surtout ceux qui font dans l'abattage. Ils bourrent les filles avec ça, ça leur permet d'y aller sans péter les plombs. Elles sont complètement annihilées.

— Selon vous, ces filles étaient des prostituées ?

— Ce n'est pas en désaccord avec le reste, non ? On a déjà eu pas mal de serial killers qui s'en prenaient spécifiquement à des professionnelles. D'autant que celles-ci sont très typées.

— En effet, Amy. Autre chose ?

— Non, pour l'instant c'est tout, mais on continue avec les comparaisons d'empreintes génétiques. Je vous tiendrai au courant. Au fait, James, Gloria est de la partie ?

— D'une certaine façon.

— C'est bien, on a besoin d'elle. La façon dont elle travaille me fait parfois froid dans le dos, mais ça me bluffe !

— Pour ne rien vous cacher, moi aussi. En tout cas, merci de votre appel, Amy. Passez mon bonjour à Matthew Hopkins.

— Je n'y manquerai pas. À bientôt.

Les trois hommes restèrent quelques instants silencieux, et Ringwood demanda d'un ton incertain :

— Vous croyez vraiment qu'on est tombés sur un réseau de prostitution ?

Cagney s'étira, la douleur en étoile qui logeait au creux de sa nuque se réveillait. Il grimaça et répondit :

— Ça aurait le mérite d'expliquer certaines choses. Les mineurs rapportent encore plus de fric. Glover, prévenez nos camarades du Boston PD. Mlle Squirrel a raison, eux sont sur le terrain. Je veux qu'ils nous déterrent tout ce qu'ils peuvent sur un trafic de chair humaine, jeune, blanche, sans doute hétérosexuel.

— Pourquoi hétérosexuel ?

— Parce que jusqu'à présent la seule victime masculine, ce petit garçon retrouvé en France, ne portait pas traces de pénétrations anales répétées. Toutes les autres victimes sont des filles très jeunes.

Glover eut un petit sourire satisfait mais ne pipa mot. Cagney se remémora cette conversation qu'il avait eue un soir avec lui, dans une voiture. Une conversation de chagrin et de rage. Glover avait pour les femmes, toutes les femmes, une passion de petit garçon. Sans doute retrouvait-il dans chacune d'elles une trace de sa mère et de sa grande sœur Tricia, Tricia qui avait poignardé son père pour protéger sa mère d'une autre trempe. Tricia qui l'avait élevé, poussé, grondé, aimé. Cagney interrompit le silence de son adjoint :

— Je sais à quoi vous pensez, Glover, et vous avez tort, du moins en ce qui nous concerne.

— Quoi, quoi ? sursauta Ringwood. On me dit jamais rien, à moi !

— C'est parce que vous ne voyez pas plus loin que le bout de vos lunettes, Richard. Voyez-vous, Lionel est convaincu que les femmes sont d'essence supérieure parce qu'elles sont moins violentes, moins dominées par leurs pulsions sexuelles que les hommes.

— Je n'ai pas parlé de supériorité, rectifia Glover. Disons que selon moi, leurs différences vont dans le bon sens.

Ringwood plissa le front et avoua :

— Euh... Ben oui, je suis assez d'accord avec le pe... enfin avec Glover. Pas vous, monsieur ?

Cagney hésita :

— Au fond, si, bien sûr, mais je trouve ce genre de catégorisation hasardeuse et surtout dangereuse. Comme tous les *a priori*. Notre travail consiste à protéger la masse des exceptions monstrueuses, et on en recrute aussi chez les femmes, même si les formes que prend leur violence ne sont pas identiques. Elles sont plus domestiques, plus sournoises mais tout aussi effroyables. Du reste, c'est le thème d'un de mes cours à l'université de Virginie. Il y a eu pas mal de femmes serial killers, moins que d'hommes, bien sûr. Lorsqu'elles tuent seules, les femmes exécutent lentement, leurs proches, leurs enfants, un sadisme contemplatif, silencieux, sans trop d'effusions de sang. Le cas typique, c'est Marybeth Tinning. Elle a assassiné ses neuf enfants en bas âge, sans que personne de son entourage ne la soupçonne. Dès qu'elles sont associées à un homme, et même lorsqu'elles dominent le couple tueur, elles adoptent les formes masculines de la boucherie. Un des cas les plus vomitifs est sans doute celui d'Alvin et Judith Neelley. Ils chassaient en couple, torturaient leurs victimes en leur injectant des produits abrasifs avant de les violer et de les abattre. Voyez-vous, Glover, deux catégories de femmes arrivent dans nos souterrains : les innombrables agnelles massacrées et quelques tueuses qui n'ont rien à envier aux hommes.

Glover ne se démonta pas :

— J'ai aussi une théorie sur la violence des femmes, mais ça nous entraînerait trop loin. De toute façon, s'il convient de ne pas occulter les exceptions, il est également dangereux de les généraliser.

— Juste ! Glover, vous vous chargez du Boston PD ?

— Bien, monsieur.

— Et moi, alors, geignit Ringwood. Qu'est-ce que je deviens ?

— Oh, ne vous inquiétez pas, Richard. Vous nous dégotez tout ce qui ressemble de près ou de loin à des affaires d'avortements illicites, ici et en France.

— L'avortement est autorisé en France, je veux dire dans tout le pays.

— Oui, mais nous parlons de très jeunes mineures et sans doute de prostituées. Pas le genre à rechercher une aide médicale et surtout officielle.

— Bon, bon… Je crois que je sens les mots clefs. Ah oui, je les ai là, je les ai… je vais entrer…

— C'est bien, Richard, je vous fais confiance. Quelle heure est-il ?

— Bientôt une heure.

— Si nous allions déjeuner maintenant, messieurs ?

— Ah, que voilà une excellente et sage décision ! commenta Ringwood. Je meurs de faim.

— C'est chronique chez vous, Ringwood. Je vous rejoins. Juste le temps de faxer ces quelques notes à Mrs Parker-Simmons.

L'immense salle ronde du self commençait à se vider. Ils poussèrent leurs plateaux sur les rails qui longeaient les vitrines réfrigérées du comptoir. Cagney s'amusait toujours des évolutions des menus proposés aux agents de la base. Le tofu faisait une entrée fracassante, les graines de sésame parsemaient à peu près tout, depuis le pain jusqu'aux milk-shakes. Le comble pour ce lundi étant une salade de germes de soja et de boulgour, inondée de graines rôties et parsemée de petits cubes de tofu. Ringwood ne pouvait pas la rater et il sauta dessus comme s'il s'agissait d'un juteux T-bone à la moelle.

À leur habitude, les trois hommes choisirent une des tables rondes adossées à la grande baie vitrée.

— On croirait que la nuit tombe, se plaignit Ringwood. Regardez, il fait si sombre. Quel temps !

— C'est fréquent en mars, Richard, temporisa Glover.

— Moi, avec ce truc d'effet de serre, je commence à avoir des doutes ! (Douloureux parce que l'envie le faisait saliver, il désigna le plateau de Glover d'un index accusateur :) Vous devriez davantage surveiller votre régime, Lionel. Non, c'est vrai, on est jeune, alors on batifole, on ne pense pas, mais la prévention commence à votre âge ! Vous avez vu le nombre de calories que vous vous apprêtez à ingurgiter ? En plus, plein de calories organiques, jambon, viande, œuf...

— Richard, organique signifie « qui contient du carbone ». Tout ce que nous mangeons est organique, sauf l'eau et quelques sels minéraux, comme leur nom l'indique. Il n'existe aucune différence chimique entre les protéines animales et les protéines végétales, si ce n'est que les premières sont mieux équilibrées que les secondes.

— Ce n'est pas un problème chimique, mais de philosophie. Un respect du corps et plus globalement de la vie.

— Je m'entraîne deux heures par jour au gymnase, je vous emmène ?

— Bon, ça va. Faites comme vous le sentez.

Ringwood plongea dans sa salade et Lionel attaqua son assiette de jambon. Cagney dégustait sa soupe de pétoncles à petites gorgées, ailleurs, le regard perdu vers l'extérieur, ce bosquet d'arbres, décor principal de tant d'années de sa vie. Derrière s'étendaient les champs de tir où s'entraînaient jour et nuit leurs hommes et des unités de Marines. Le bruit métallique des impacts de balles percutant les tôles de forme humaine faisait maintenant presque partie de ses gènes, comme l'odeur de graisse à canon et de poudre qui flottait au premier sous-sol du Jefferson, là où les armes étaient remisées, vérifiées. Parviendrait-il un jour à lâcher tout cela ? Non, la question était mal formulée. Tout cela le lâcherait-il, le laisserait-il vivre ailleurs et autrement ? Il en doutait parfois, comme aujourd'hui, lorsque le regard de Gloria n'était plus là pour l'assurer que la vie pouvait exister en dehors de cet aberrant cocon. Mais c'était un cocon si thérapeutique. Il y avait soigné ses pires heures de débâcle, son divorce, ses rares échecs qui signifiaient tant de hurlements et de souffrance, cette vacuité d'amour lorsque Gloria se dérobait encore et toujours. Parviendrait-il à se guérir des liens qui le tenaient à cette gigantesque tanière ?

Une voix qu'il connaissait le fit sursauter :

— Bonjour, James, messieurs.

Bob, le meilleur pilote d'hélicoptère de la base, lui souriait.

— Bob, comment allez-vous ? Ça fait un bail que vous ne m'avez pas maltraité dans votre bulle de Plexiglas !

— En effet. Mais vous êtes un des plus propres ! J'espérais bien vous voir. Je fête mon départ à la retraite le mois prochain, au *Cat and Red Glove* à Fredericksburgh. Vous connaissez, je crois, ce n'est pas très loin de chez vous, James. J'aimerais vraiment, enfin ma femme aussi, on serait ravis que vous en fassiez partie, je veux dire tous les trois. On a des bons souvenirs ensemble, pas vrai ?

Cagney le fixa sans comprendre. Bob était un athlète, les cheveux courts coupés en brosse, un corps si parfaitement apte que rien ne semblait jamais devoir l'altérer ou le ralentir.

— La retraite ?

— Ben, oui. Nous avons intégré la même année, vous avez oublié ? J'aurais pu faire encore un ou deux ans pour la gloire, moi, ça m'allait, mais ma femme piaffe d'impatience. Elle veut visiter toute l'Europe depuis des années et je n'avais jamais le temps. Et puis, j'ai deux-trois petites touches avec les programmes routiers, des machins pour des radios locales. Je ne resterai pas longtemps sans ma casserole améliorée.

Cagney força un sourire de connivence, mais la

salive lui fit défaut. Il parvint à repêcher quelques mots, loin, très loin :

— C'est une excellente nouvelle, Bob. Je suis ravi pour vous. Précisez-nous la date, on se saoulera un peu.

Bob s'éloigna et Cagney jeta un regard circulaire dans la grande salle. Il ne reconnaissait presque personne. Une succession de visages jeunes, parfaits, tendus d'illusions. Mais où étaient-ils passés, tous ceux qu'il connaissait, aux côtés desquels il s'était battu toutes ces années ? Merde, des dinosaures. Il était un des derniers dinosaures. Sans doute le peureux respect dont l'entouraient tous ces jeunes qui le saluaient d'un signe de tête sans oser l'approcher naissait-il de cela : la légende, celle d'un fossile de presque soixante ans. Ce monde, qu'il avait contribué à créer, était si obsédé de jeunesse qu'il la vampirisait. Mais c'est une forme qu'il cherche, une enveloppe. Il veut des cerveaux millénaires dans des corps adolescents, des chimères, des mutants. Et les jeunes deviennent les dupes de ce marché foireux. Ils ne comprennent pas que ce ne sont pas eux les nouveaux emblèmes de cette société. Ils n'en sont qu'un porte-monnaie, ou un amusement de plus. On les caresse dans le sens du poil, comme les autres, et ils raquent. Ce sont toujours les mêmes, ceux qui ont les moyens d'exposer un mètre carré de peau humaine sans ride et sans défaut, qui mènent la danse planétaire, peu importe comment ils ont obtenu ce résultat. Des images, une société entièrement construite sur des images, et la plupart des gens se foutent qu'elles soient usurpées, escroquées.

Tiens, les taches de mélanine sur le dos de ses mains s'étaient encore élargies.

BOSTON, MASSACHUSETTS, 6 MARS.

Le bruit supplicié de son cœur, amplifié par la fine membrane verte du stéthoscope, le ravissait.

Un ouragan liquide, épais, qui hurlait dans ses veines et ses artères dilatées par l'effort. Il adorait écouter ces quelques secondes, après. Lorsqu'il se demandait si la mince tunique veineuse ne serait pas arrachée par le flot rouge qui tentait d'irriguer son cerveau, vite, plus vite.

Il ausculta ensuite les petits cœurs de ses anges, que les exercices forcés faisaient ruisseler de sueur. Un de ces jolis petits cœurs porterait bientôt l'étoile dont il avait si impérieusement besoin.

Oui, elle, la plus parfaite. Claudia, ce serait son nom, maintenant que le muscle léger qui logeait derrière la cage fragile de ses côtes la distinguait. Tant mieux, c'était la plus jolie, avec ses longues paupières étirées vers les tempes et ses petites boucles blondes foncées par la sueur qui s'évadaient du chignon strict qu'Iggy tirait derrière leur nuque avant les exercices. Son cœur à elle donnait toute la puissance de ses fibres. Elle lui ressemblait, à Elle. Sans doute Claudia était-elle une de ses nombreuses filles, celles qu'il semait lorsque Vlad lui en donnait l'ordre. Les gènes incomparables de la Divine Perle dont il était porteur étaient-ils passés dans ce joli réceptacle ?

Tant d'autres, mais c'était sans aucun intérêt. Il fallait périodiquement les engrosser, elles valaient plus cher avec leur gros ventre, et puis, elles étaient plus malléables. Lui ou Vlad ou un client, parfois Stan lorsqu'il avait bien travaillé.

Il jeta un regard énervé aux trois autres petites filles. Elles deviendraient des veaux, bien sûr. Peu importait, puisque Claudia était là, maintenant. Vlad se réjouirait du cadeau, car il allait les lui offrir. Qu'en ferait-il, maintenant ? Les veaux l'agaçaient prodigieusement. Il caressa la joue moite de Claudia et lécha gentiment la sueur qui trempait son front en murmurant :

— Tu es magnifique, ma chérie. Je suis si fier de toi.

La petite fille soupira et inclina la tête avec une lenteur calculée, ainsi qu'il le lui avait appris.

Elle savait. Ne rien dire, ne pas partir au-delà de ces murs, vivre. Elle lut la condamnation des autres, ses sœurs, ses amies, dans le regard du Danseur. Rien à foutre. Vivre.

SAN FRANCISCO, CALIFORNIE, 6 MARS.

Le déjeuner avec Clare avait été paisible.

Gloria déposa dans un verre à whisky le petit bouquet d'herbes que la jeune fille avait cueilli pour elle. Une seule petite marguerite en était prisonnière, si isolée, si étrange au milieu de ce vert arrogant.

— Pour bébé, à nous… Nous, bébé ! avait-elle hurlé en tendant sa main crispée autour de la poignée d'herbes.

— Merci ma caille, ma chérie, oh qu'il est joli.

Gloria avait humé et insisté :

— Sens ma caille, sens comme il sent bon.

Elles avaient passé une petite heure à flatter Pan-Pan, qui les toisait, sa longue queue tassant la pelouse derrière lui. L'oiseau levait une patte, semblait hésiter, puis condescendait à avancer d'un pas dans leur direction. Enfin, il avait daigné tendre son cou vers le bout de biscuit que lui proposait Clare. Le bec avait claqué brutalement, frôlant les doigts de sa fille sans les toucher. Un cri guttural, si déplaisant, avait salué l'offrande, et le grand paon était reparti en sens inverse, leur offrant son dos et sa morgue. Mais Clare était ravie de cette démonstration d'intérêt de la part du prétentieux volatile. Gloria avait méchamment pensé : « Il paraît que c'est délicieux, rôti », mais avait battu des mains d'appréciation en chœur avec sa fille.

Le midi, alors qu'on leur servait les entrées dans la salle de restaurant, elle s'était relevée. Il fallait qu'elle s'approche de celui qui fascinait Clare, qu'elle le voie de plus près, lui sourie. Elle avait fait quelques pas dans la direction de la table où ce garçon si brun, si ailleurs, déjeunait seul. Gloria avait jeté un regard à Clare qui restait immobile, bouche bée, tétanisée.

Elle s'était arrêtée à deux mètres du jeune homme, les bras noués dans le dos, afin de respecter cette distance qui le sécuriserait, et avait prononcé lentement :

— Bonjour, Luis. Je m'appelle Gloria. Je suis la tante de Clare. Allez-vous bien aujourd'hui ?

Le regard sombre, affolé, avait tenté de s'échapper vers la grande baie vitrée, mais enfin il s'était posé sur elle, sur son menton, pas plus haut, jamais plus haut. Voir les yeux, c'est si dangereux.

— Bon… jour, madame. Oui, bonjour. Vous attendez un bébé.

— Oui.

— J'aime bien les bébés. Ils sont doux. Petits.

— Oui. Bon appétit, Luis. À bientôt.

Lorsqu'elle se réinstalla en face de Clare, elle vit les larmes accumulées au pli de ses paupières.

— Chut, ma caille. Ce n'est pas triste, n'est-ce pas ? Pas triste.

— Non. Non, pas triste. Gentil.

— Oui, il est gentil, Luis. Comme ma caille. Gentils. Bébés.

Gloria tenta à nouveau d'éviter les pensées qu'elle repoussait depuis son départ de Little Bend. Mais la bonne humeur remuante de Charlie ne parvint pas à la faire sourire. Le chiot se laissa lourdement tomber sur son derrière rond et la fixa, dépité.

Clare avait dix-neuf ans, c'était physiologiquement une femme depuis longtemps et de surcroît, la notion de péché dont nos sociétés se sont plu à entourer l'acte de chair n'éveillait aucun écho en elle. Pourtant, Gloria ne parvenait pas à tolérer que le sexe puisse exister pour son bébé. Quelque chose la terrorisait dans la vision du ventre pâle de son ange contre celui d'un homme, même du si doux Luis. Comme si l'amant de Clare devenait nécessairement un utilisateur, un profiteur sans âme ni amour. Une espèce de chimie hormonale, plus forte que la peur, se révoltait en Gloria, lui donnait envie de frapper quiconque s'approcherait de Clare. De tuer sans doute.

Elle se déshabilla, passa un kimono en épaisse soie ocre et monta vers son bureau, suivie par le chien dont les griffes crissaient sur le bois nu des marches de l'escalier. Le fax de Cagney l'attendait.

Elle s'installa immédiatement devant la ligne des ordinateurs. Parfait dérivatif à la dangereuse glissade de ses pensées.

Elle compléta le fichier qu'elle avait ouvert quelques jours auparavant sous le nom de France. doc. Les données étaient encore insuffisantes, d'autant que celles contenues dans le fax introduisaient une autre dérive : la cause de la mort. Non, non, la cause était la même, c'était la nature de la mort qui variait. Toutes les victimes, sans doute même le petit garçon, avaient été tuées pour la même raison. Réfléchir, descendre dans sa tête. *Ab uno disce omnes*, la phrase de Virgile devenait un talisman. À partir de l'un, connaître tous les autres.

La perfection mathématique du galop nerveux qui lançait la *Fantaisie chromatique pour clavecin* de Jean-Sébastien Bach la détendit. Chaque succession de notes ressemblait à l'admirable aboutissement d'une équation. Elle ferma les yeux et pianota sur le rebord du clavier. Elle suivit du bout des doigts l'envolée des croches, et se rendit compte que le compositeur se servait souvent de la même note pour terminer une mesure et relancer la suivante. Une simulation d'inconnue. Partir du principe qu'elles sont de même valeur, de même nature. Réduire ainsi artificiellement leur nombre afin de pouvoir diminuer l'effectif d'équations nécessaires à leur solution. Elle rouvrit brutalement les paupières. Prendre le problème à l'envers. C'était la seule façon d'avancer. Bien sûr, il ne faudrait pas se laisser griser par un résultat, étant entendu la minceur des données, mais peut-être parviendrait-elle ainsi à déduire la direction dans laquelle elle devait chercher. Admettre que seule leur identité différenciait les victimes, en d'autres termes que A, B, C, D, E, F par ordre chronologique étaient statistiquement identiques à un paramètre près. Ne prendre en compte ni la localisation des meurtres, ni leur date, ni l'âge des jeunes mortes, ni le sexe du garçonnet. Elle travailla presque une heure puis lança la sification de données, un test très lourd, très empirique, à ne considérer que comme un indice. Il s'agissait d'un programme mathématique à haut risque d'erreur, dont l'objet était de comparer les données en fonction de leurs caractéristiques similaires ou divergentes, imposant de ce fait des jugements de valeur à l'expérimentateur. Quelles données méritaient-elles d'être comparées ? Avec quelles autres ? Dans quel ordre ? Ce qui était relativement aisé dans le cadre d'un problème scientifique ou commercial devenait un vrai casse-tête dès que des données psychologiques teintaient l'énoncé de la question.

Lorsque le message magique s'afficha enfin sur l'écran « frapper sur n'importe quelle touche pour afficher la représentation graphique du test », la migraine lui dévorait toute la tempe droite. Plus tard. Du reste, les pulsations de cette veine qu'elle sentait battre sous son index la rassuraient toujours au début, avant que la douleur ne devienne trop irritante. Elle imaginait la charge de ce liquide rouge, chargé de glucose et d'oxygène, qui permettait à son cerveau de fonctionner si bien. Elle retint sa respiration et tapa à son habitude le « C » pour Clare. Le large dendrogramme s'afficha sur l'écran, comme une cellule tumorale poursuivie de métastases. Sur la plus large des métastases se réunissaient les valeurs que le test considérait comme semblables. Au contraire, d'autres fils plus minces s'en évadaient pour figurer les sous-groupes de divergence. Elle crispa les lèvres d'exaspération : chaque point constituait à lui seul un sous-groupe, comme si les victimes n'avaient aucun lien entre elles.

— Merde ! (Charlie sursauta et sortit le bout de son museau de sous le bureau.) Mais non, pas toi, le chien.

Elle sauvegarda quand même son travail et se leva. Ne pas se laisser aller à la panique. Il n'y aura pas d'échec. Le problème était mal posé, voilà tout. Il porte en lui sa solution. Reformuler la question pour atteindre la bonne réponse. Un verre, elle avait besoin d'un verre.

Charlie, que ces allées et venues distrayaient, lui emboîta le pas, mordant un des pans de son kimono pour le tirer vers l'arrière, manquant la faire tomber dans l'escalier.

— Bon, tu veux jouer, c'est ça ? Allez, on va jouer un peu et après tu es sage.

La partie de Mister Carrot dans le jardin lui fit du bien. Elle devait avoir l'air assez crétin comme cela. Une femme adulte et enceinte, à quatre pattes devant un bébé golden retriever, se cramponnant à la carotte en plastique gluante de bave que la petite bête ne voulait plus lâcher, et grognant de concert avec lui pour faire plus vrai.

Lorsqu'elle remonta, tenant avec précaution un haut verre de chablis frais, Charlie fonça sous le bureau et se roula en boule sur la moquette avec un long soupir de satisfaction. Elle traça des arabesques du bout de l'index, dessinant et défaisant d'improbables figures sur la buée qui recouvrait le verre.

Réfléchir. Recommencer.

Elle était partie d'une hypothèse de travail qui impliquait que seule l'identité des victimes différait. Pourtant, en dépit de cette grossière approximation, le test mathématique ne leur découvrait aucun point commun. Devait-elle pousser le raisonnement et prétendre que leur identité était la même ? Trop risqué. Le programme ne cernerait pas l'absurde d'une telle proposition.

Pourquoi avait-il conclu qu'elles étaient si différentes ?

Elle avala une longue gorgée de vin. Calme, rester calme. Finalement, son sevrage lui avait rendu un service. Les effets de l'alcool étaient redevenus presque immédiats. Elle sentit le léger dégagement de chaleur au creux de l'estomac, et quelques secondes plus tard, eut la nette impression que son cerveau s'ouvrait plus large.

Elle reposa sèchement le verre sur la plaque de son bureau et soupira : il avait conclu qu'elles étaient différentes en tout point parce qu'il leur manquait une ressemblance fondamentale selon lui. Elle entra une ressemblance fictive qu'elle baptisa « P » pour paramètre et indiqua au programme qu'A, B, C, D, E, F possédaient tous « P ». Elle relança le test et un autre dendrogramme s'afficha.

— Bingo ! murmura-t-elle.

Cette fois, le tronc central réunissait A, B, C, E et F. Seul D, le point représentant le petit garçon, se situait sur une des ramifications annexes. Restait maintenant à savoir si « P » était une variable quantitative donc chiffrable, ou qualitative. Elle balança le fichier sur un autre programme, un très lourd test paramétrique. L'ombre qui avait envahi son bureau la surprit lorsque enfin la réponse s'afficha. Le soir tombait. « P » était de nature qualitative.

Elle se leva. Sa migraine l'avait lâchée sans qu'elle en prenne conscience.

— Je propose une célébration, Charlie. Une moitié de cookie aux noix de pécan pour toi et un autre verre pour moi. À titre exceptionnel. Ça reste entre nous, bien sûr.

Elle s'installa sur l'un des canapés du salon, aidant le chiot à grimper à ses côtés, et composa le numéro de la ligne directe de James à la base, annonçant dès qu'il décrocha :

— Selon moi, vous avez oublié un élément crucial. Je veux dire les Français et vous. Quelque chose que toutes les jeunes filles avaient en commun.

— Bonjour, ma chérie.

— Ah oui, bonsoir.

— Et c'est quoi ?

— Cela, je l'ignore. Mais c'est qualitatif, ça restreint le champ d'investigation.

— Il n'y a pas moyen de pousser un peu ?

— Non, pas avec le peu de données en ma possession. Ces filles partageaient une particularité qualitative déterminante dans leur meurtre.

— Elles connaissaient peut-être le meurtrier ?

— Peut-être, mais ce n'est pas ça.

— Comment le sais-tu ?

— Parce qu'à ce moment-là, ce serait une communauté qu'elles partageaient aussi avec le tueur. Si elles le connaissaient, il en allait de même pour lui.

Ce type de liaison est très différent d'un point de vue mathématique parce que ça devient une interaction. A influe sur B mais B modifie du même coup A. Je n'aurais donc pas pu la révéler sans inclure le tueur dans mon programme.

— Je vois. C'est si vaste. Tu n'as vraiment rien d'autre ?

— Non, rien. Oui, c'est vaste. Ça peut aller d'une passion pour le chocolat à la phobie des araignées en passant par un grain de beauté au-dessus de la lèvre.

— Tu ne vois rien d'un peu plus discriminant ?

— Je ne peux pas, James. Imaginer en l'absence de données fortes s'associe à ce que Lukasiewicz nomme les abstractions reconstruites, en d'autres termes, ça tire la mathématique vers la poésie. Ce n'est pas exclu, c'est même parfois le seul recours pour résoudre un problème. Mais pas dans ce cas.

— Et si je te donnais une liste, tu pourrais repérer le bon élément ?

— Ce n'est pas de la voyance, ce sont des mathématiques. Le programme se fiche de connaître l'intitulé de la ressemblance, parce que de toute façon, il le traduit en égalité équationnelle, c'est tout.

Cagney soupira :

— C'est quand même un bout de quelque chose. On reprend tout à zéro.

— J'aimerais vraiment rencontrer Kathy Ford.

— Nous avons les enregistrements vidéo de ses deux dépositions. Elle est encore pas mal secouée, d'après ce que j'en sais. Ajoute à cela que ma situation vis-à-vis de Harper n'est pas des plus saines en ce moment.

— Mais elle souhaite qu'on arrête ce type, non ?

— En plus, il faudrait que tu te déplaces jusqu'au Kennedy Federal Building à Boston, et un voyage en avion n'est sans doute pas indiqué en ce moment.

— Je suis enceinte de cinq mois et demi, presque six. Pas invalide, juste ralentie.

— Bon, voilà ce que je te propose : je t'envoie les bandes par courrier exprès et si après les avoir visionnées il te semble important de rencontrer cette jeune femme, j'organiserai une entrevue. Ça te va ?

— Ça marche. Tu les envoies tout de suite, n'est-ce pas ?

— Qui a dit que la patience était l'arme des sages et des femmes ?

— Un homme, sans doute. En tout cas, pas moi. Du reste, ça ne s'arrange pas avec l'âge, en ce qui me concerne.

BASE MILITAIRE DE QUANTICO, VIRGINIE, 6 MARS.

— Attendez, repartir à zéro, moi je suis d'accord. Mais zéro où ? demanda Lionel Glover.

Richard renchérit :

— On n'a rien sur ces jeunes filles. On ne sait ni d'où elles viennent, ni qui elles sont. Nada ! Maintenant, il n'est pas exclu que ce soient des prostituées, dans le genre pas volontaires, ça veut dire ni collègues de bureau, ni amies de fac pour remonter le fil.

Cagney les considéra et lâcha :

— Je sais. Ça fait une heure que j'y réfléchis. Tout ce que nous avons de ces filles, c'est leurs corps.

— Pardon ?

— Oui, Richard. Nous sommes en possession de leurs corps. Du reste, ils sont ici, dans notre morgue.

Ringwood se leva d'un bond et gémit :

— Oh là ! Oh, mauvaise limonade ! Attendez, monsieur, ça veut dire que quelqu'un est suffisamment suicidaire pour demander à Zhang une contre-expertise de son propre boulot ? Comme c'est un grave paranoïaque, il en conclura que nous le soupçonnons de l'avoir bâclé la première fois. Bon, ben c'est pas moi. Moi, mon domaine, c'est l'informatique. Je ne suis pas un physique, surtout en ce moment où je suis en dénutrition !

Cagney réprima un sourire et annonça :

— En ce cas, je m'y colle. Je suis en meilleure forme que lui. Au pire, je devrais courir plus vite.

— Faites attention aux jets de scalpel, insista Glover.

L'entrevue téléphonique avec un Zhang écumant fut au-delà de leurs pires pronostics. Lorsque Cagney parvint à le localiser au Russel Building à Washington, il était presque sept heures du soir et le légiste s'apprêtait à rentrer chez lui. Après les longues civilités d'usage avec cet homme si compétent mais si irascible, Cagney tenta de louvoyer :

— ... Nous avons donc besoin de toute votre expérience pour mettre en évidence ce fameux paramètre commun à toutes les victimes.

— Je l'aurais déjà vu.

— Pardon ?

— Je dis que je l'aurais déjà vu, s'il existait, votre fameux « élément de convergence ». Vous êtes sourd ? Je regarde tout, monsieur Cagney, tout, vous m'entendez ! Vous croyez quoi, que le Bureau me paye pour des clopinettes ?

— Écoutez docteur, l'objet de ma démarche n'est pas de mettre en doute...

Un hurlement lui coupa la parole :

— Mais si, mais si ! Oh, mais je vous vois venir ! Vous me prenez pour un crétin en plus d'un bon à rien ? Quoi, je bâcle mon travail, c'est cela que vous insinuez ?

— Pas du tout... C'est un peu compliqué.

D'un ton soudain glacial, Zhang commenta :

— Et alors quoi ? Seule votre vaste intelligence de Blanc est capable de le comprendre ?

Cagney perdit ce qui lui restait de calme et cria à son tour :

— Ah non, ça suffit, là ! Vous n'allez pas me faire le plan du racisme, en plus ! Vous m'emmerdez, Zhang, vous et votre caractère m'emmerdez depuis des années, c'est clair ? L'intelligence et le savoir-faire n'excusent pas la grossièreté, et vous êtes grossier !

Un silence si pesant s'installa que Cagney sut qu'il n'avait pas raccroché. Enfin, une voix étranglée demanda :

— Grossier ?

— Oui, grossier ! Vous traitez les gens avec grossièreté et j'en ai marre. Moi, j'ai des gamines massacrées sur les bras, plus sans doute d'autres qui suivront, alors vos coups de sang, j'en ai ma claque !

— Les corps sont à la base, je suppose ?

— En effet.

— Bien, qui vient me chercher ?

— Bob, en hélicoptère. À huit heures demain matin, si cela vous convient.

— Parfait. Faites préparer la salle d'autopsie. Il serait souhaitable que nous ayons une petite conversation. Je ne sais pas ce que je cherche. C'est immense un corps, vous savez, c'est plein de secrets.

BASE MILITAIRE DE QUANTICO, VIRGINIE, 7 MARS.

La salle d'autopsie ultramoderne baignait dans une lumière bleutée et glaciale. Seul le ronronnement d'une hotte aspirante prenait d'assaut le silence. Surplombant leurs têtes, une rotonde en Plexiglas autour de laquelle courait une rambarde permettait à des visiteurs d'assister à certaines expertises.

Zhang faisait preuve d'une économie verbale assez inquiétante depuis son arrivée. Cagney le regardait aller et venir autour des deux poches en tissu bleu clair, allongées sur des tables en inox. De la buée sortait par à-coups de sa bouche. Il régnait dans la salle un froid polaire puisqu'on y pratiquait en général des autopsies tardives. En dépit des quelques degrés et de la pâte à la menthe et à l'eucalyptus qu'ils s'étaient étalée sous le nez, l'odeur de décomposition du premier cadavre était pestilentielle, mais ne semblait incommoder que Cagney. Il précisa :

— Nous les avons sortis hier soir, comme vous le demandiez.

— Oui, c'est impossible de procéder à une autopsie

sur un corps quasiment gelé. Pas les outils adéquats.

Le petit médecin tira l'espèce de boudin en plastique qui pendait au-dessus de sa tête et protégeait le micro et rabattit sur son nez le masque en tissu plastique bleu noué derrière son cou :

— Je coupe les points de suture et dénude donc la cavité abdominale. Les organes replacés après pesée et analyse sont assez abîmés pour la première victime. Processus de putréfaction stoppé par une congélation modérée.

Cagney ne le lâchait pas des yeux, attendant, espérant une exclamation qui ne vint pas. En dépit de la fraîcheur presque incommodante qui régnait dans la salle, de grosses gouttes de sueur dégoulinaient sur le front de Zhang, qu'il essuyait d'un revers d'avant-bras.

Brusquement, il jeta une longue pince dans un haricot en métal et déclara :

— Il n'y a rien d'autre. Rien, vous m'entendez ?

Une vague de découragement clouait Cagney depuis quelques minutes. Il murmura :

— Je vous en prie, il faut qu'il y ait quelque chose !

— Je ne peux pas l'inventer. J'ai bien compris ce que vous me disiez hier, concernant... enfin bref, une attitude. Nous en reparlerons un autre jour, aujourd'hui, ce serait indécent. Par contre, je voudrais savoir pourquoi vous avez lancé cette contre-expertise, surtout par le même médecin.

— Parce que vous êtes le meilleur, non ?

Zhang répondit platement :

— Oui, je suis le meilleur. Alors pourquoi ?

— Une de nos consultantes, une mathématicienne, elle aussi la meilleure dans son domaine, est certaine que nous sommes passés à côté de quelque chose de fondamental. Or, la seule chose de tangible que nous ayons dans cette histoire, ce sont les corps de ces deux pauvres filles.

— Eh bien, voilà qui prend un peu de sens. Si c'est là, je vais trouver. Même si je dois y passer la nuit. Votre présence n'est pas nécessaire, monsieur Cagney. Je sens votre angoisse et elle me déconcentre.

— En ce cas, je vous laisse. Vous savez rejoindre mon bureau ?

Agacé parce qu'il était déjà reparti ailleurs, Zhang s'exclama d'un ton acide :

— Je crierai, on viendra me chercher !

Le déjeuner fut morose. Cagney attendait. Glover proposa de faire une descente dans la salle d'autopsie mais James lui expliqua que le petit homme caractériel la vivrait sans doute comme une impardonnable intrusion. Ils attaquaient leur dessert lorsque Zhang pénétra dans la grande salle du self. Il avait l'air épuisé. Ses petits cheveux rares se hérissaient au-dessus de sa tête. Il poussa son plateau et les rejoignit en déclarant d'un ton accusateur :

— Il n'y a pas de riz ?

— Ils en font pourtant souvent.

— Oui, mais comme par hasard, aujourd'hui, il n'y en a pas !

Cagney se retint de lancer que cette absence n'était pas la manifestation d'une conspiration internationale ayant pour but d'ulcérer le médecin.

Ringwood crut bon de faire étalage de ses connaissances en nutrition :

— Ben, il s'agit d'un féculent, donc il faut varier un peu.

— Non, monsieur, il s'agit d'une céréale qui nourrit les deux tiers de la population humaine. Vous buvez du café tous les jours ? Moi, je mange du riz tous les jours.

Cagney, sentant l'humeur du légiste sur le point de basculer, intervint :

— Vous avez quelque chose ?

— En dépit de l'imprécision totale et de l'anarchie de votre demande, oui.

— Quoi ?

— Plus tard, je mange. Savez-vous, monsieur Cagney, qu'un des grands problèmes des Occidentaux, c'est qu'ils font tout en même temps ? Lorsque l'on mange, on mange. Lorsque l'on aime, on aime et lorsque l'on travaille, on doit travailler. Vous passez à côté de votre vie parce que vous pensez toujours à l'étape suivante ou précédente.

Zhang avala lentement le contenu de son plateau. Richard et Glover descendirent et Cagney alla se chercher une autre tasse de thé. Enfin, le médecin posa sa cuiller, regarda son vis-à-vis et déclara d'un ton désolé :

— Je suis allé jusqu'à les dépecer. Je déteste cela, surtout avec des femmes. C'est si humiliant. Elles ont déjà tant souffert et il faut rajouter cette insulte. Ce n'est pas juste, pas bien.

Cagney le trouva presque sympathique, sans doute pour la première fois en vingt ans.

— Je sais. Mais ce que nous tentons de faire, c'est retrouver un peu de justice.

— Oui, mais c'est trop tard pour elles. Les cartilages de croissance des doigts de pied sont écrasés, très écrasés. L'index, qui est souvent le doigt de pied le plus long, du moins chez les Caucasiens, est atrophié. C'est lui qui supporte le plus de pression. Il s'agissait de danseuses classiques, les pointes. Cependant, leur actuel physique n'est pas en concordance. Trop lourdes, trop grasses, une masse musculaire relativement modeste. Les seins trop volumineux.

— Donc ?

— Donc des jeunes femmes qui ont intensivement pratiqué la danse classique dès leur plus jeune âge, pour l'arrêter ensuite.

Cagney fit un effort pour ne pas foncer hors de la

salle de restaurant. Leur première piste, leur seule direction : la danse. Il fallait prévenir les Français, leur demander de refaire les autopsies de leurs victimes. Appeler Gloria aussi, parce que sans son génie analytique, Zhang serait passé à côté de cette fameuse convergence mathématique dont James se demandait comment elle allait les aider.

Il proposa à Zhang de se reposer dans une des chambres qui servaient à accueillir les témoins majeurs, mais le médecin déclina d'un mouvement de tête.

— Je rentre chez moi, monsieur Cagney. Mon travail ici est terminé pour l'instant.

Il accompagna Zhang sur la piste réservée aux hélicoptères et aux gros avions cargos militaires. Bob les attendait.

— Ah, une dernière chose. Remerciez de ma part cette femme.

— Quelle femme ?

— Votre consultante. Une mathématicienne, c'est cela ? Les mathématiques ont toujours été un intimidant mystère pour moi. Un peu comme la philosophie.

— Pour moi aussi. Mais il paraît que nous avons tort.

Le médecin se redressa de toute sa petite taille et acheva d'un ton pressé :

— Peu importe. Remerciez-la donc en lui offrant mes hommages. Elle m'a permis de convaincre ces jeunes filles de me raconter toute leur histoire. J'avais été trop hâtif, trop sûr de moi. J'espère m'être racheté, et qu'elles me le pardonneront. C'est une leçon, il convient de ne jamais oublier ce qu'elles vous enseignent.

Le bruit du rotor et des pales qui s'emballaient avala la réponse de Cagney. C'était aussi bien.

Cagney rejoignit son souterrain. Un Ringwood échevelé et suant déboula à l'autre bout du couloir et fonça vers lui en brandissant une liasse de feuilles informatiques :

— Monsieur, monsieur... je ne sais pas si ça nous intéresse... mais c'est trouble ! haleta Richard.

— Pourquoi ne pas reprendre votre respiration avant, Richard ?

— Bonne idée.

Il souffla comme un phoque durant quelques secondes et poursuivit :

— Concernant cette recherche sur les avortements illégaux en France, les gendarmes d'une région qui s'appelle Lyon ont découvert une sorte de... oh, merde... comme un charnier de bébés, il y a quelques mois, fin septembre. Des fœtus assez avancés pour la plupart, voire des bébés nés. Huit.

Cagney se laissa aller contre le mur qui séparait son bureau du couloir.

Quelque chose lui revenait, une mise en garde du Bureau aux directeurs d'unités, relayant l'avertissement d'Interpol. C'était en Italie ou en France ? Un trafic de nouveau-nés, les bébés blancs se vendent si bien, si cher. Un véritable réseau, parfaitement organisé, plongeant ses ramifications dans toute l'Europe. Des macs tenaient le marché. Ils importaient de l'Est des adolescentes, quelques billets aux parents, quelques promesses creuses d'avenir glorieux auxquelles seules les gamines croyaient, et le tour était joué. Les enfants surnuméraires de leur troupeau de jeunes putes esclaves devenaient une nouvelle source de rentrées d'argent ou disparaissaient lorsqu'on ne leur trouvait pas acquéreur. Et puis, les flics avaient découvert une sorte de gigantesque salle de torture aménagée dans une usine désaffectée. Une rangée de baignoires. De l'eau de distribution à peine chlorée, avait dit Amy Daniels.

Un camp de dressage, de cassage de jeunes filles destinées à l'abattage, aux files de mecs sur les chantiers ou dans les coursives des cargos marchands.

Il ouvrit brutalement les paupières et murmura :

— On s'approche, j'en suis sûr, c'est tout près. Je veux tout sur cette affaire, Richard, tout. Mais d'abord, Glover et vous, dans mon bureau !

Cagney mit un temps qui lui parut infini à rejoindre son bureau, à le contourner avant de se laisser tomber dans son fauteuil. La douleur de sa nuque explosait d'un coup, comme si elle n'avait attendu qu'un signe de faiblesse de sa part.

Putain, ils avaient réussi à pénétrer aux États-Unis, après l'Europe et le Japon ! Ils allaient ajouter leur commerce de viande humaine, leurs supplices, leurs meurtres à tous ceux que Cagney tentait depuis des années de combattre. Comment étaient-ils parvenus à s'infiltrer ? Par le Canada, sans doute, trop compliqué par le Mexique. Il ne s'agissait pas d'un serial killer, mais d'une peste organisée qu'ils étaient jusque-là parvenus à contenir. Une lutte sans fin.

Un sanglot sec lui râpa la gorge. Se calmer. Pas chialer sur cette humanité, ne pas chercher pourquoi l'Homme porte en lui cette appétence au sadisme, à la destruction. Ça ne sert à rien, du moins sur la durée d'une vie humaine. Se dire simplement qu'ils avaient, lui et les autres, choisi leur camp, celui des victimes, passées et à venir. C'est un choix irrémédiable, car il faut des fauves contre les fauves. Se battre, encore et toujours, sans jamais parier sur l'issue du combat, c'était inutile. Perdre, en prendre plein la gueule, pas grave : se relever et recommencer. Gagner, pas très important non plus : se lever aussi et se convaincre que tout serait toujours à recommencer.

Les coups frappés à sa porte le forcèrent à se redresser dans son fauteuil.

— Entrez, messieurs, asseyez-vous. J'ai une bonne et une mauvaise nouvelle pour vous, et c'est la même.

— On y va.

— Il ne s'agit pas d'un serial killer, j'en suis certain. Oh, bien sûr, il y a un ou des exécuteurs des basses œuvres, ces réseaux en recrutent toujours. Nous avons affaire à la première manifestation des lucioles chez nous. Ça devait arriver, on espérait juste que ce serait le plus tard possible.

— Des lucioles ? demanda Ringwood en se penchant vers le bureau de Cagney.

Glover hésita :

— Ces jeunes putes d'Europe de l'Est ?

— Oui. Des filles entre dix et seize ans achetées au poids par des macs locaux dans certains pays de l'Est, dont l'Albanie. Ces filles sont traitées comme plus personne n'oserait traiter du bétail. Cassées dans des camps de dressage, tabassées dans des baignoires pour que ça ne marque pas trop, camées jusqu'aux yeux, et achevées lorsqu'elles deviennent gênantes ou qu'elles ne rapportent plus assez.

— Mais pourquoi « lucioles » ? insista Ringwood.

— C'est le nom que leur donnent les Italiens. Lorsqu'elles sont à l'abattage le long des routes, elles signalent leur présence aux clients potentiels en allumant des feux de branchages.

Glover hésita et demanda :

— Le rapport avec les avortements ?

Cagney le fixa, tentant de contrôler la haine pure qu'il sentait monter, noyer son cerveau. Il articula très lentement afin de garder la maîtrise de son débit :

— Pas mal d'hommes sont fascinés par la grossesse. Ça les renvoie à une sorte de besoin animal fondamental : la procréation. (Il inspira lentement et poursuivit :) Les macs engrossent les filles. La passe coûte jusqu'à deux fois plus cher lorsqu'elles sont visiblement enceintes. Et puis, ça permet de les tenir. C'est une menace si puissante, c'est mieux que les coups ou la came. Si tu es sage, il n'arrivera rien à ton bébé.

Il vit le beau visage de Glover prendre une couleur cendrée. La rage déformait sa voix lorsqu'il demanda :

— Et ils les font avorter au dernier moment ?

— Oui, le plus tard possible. Soit la fille y passe aussi, soit elle a une bonne santé. On s'en fout, il y en a plein d'autres qui crèvent de faim dans leurs pays d'origine. Ou alors on peut vendre les bébés et on leur permet de naître. Nos moyens de bien-nourris nous permettent de nous transformer à nouveau en esclavagistes, mais cette fois-ci, on ne tient surtout pas à le comprendre, parce qu'on sait que ça va puer.

Un silence mortifère s'abattit dans le petit bureau. Cagney se cramponnait à la douleur en étoile qui le faisait transpirer parce qu'elle lui évitait de plonger jusqu'au bout du calvaire de ces filles. Il sentait, presque tangible, l'envie de meurtre que tentait de juguler Glover. Mais son regard accrocha le front de Ringwood, les coulées de sueur qui rejoignaient ses sourcils, la pâleur malsaine de ses joues. Richard croisait ses mains si fort que ses phalanges étaient décolorées, des doigts de cadavre.

— Vous ne vous sentez pas bien, Ringwood ?

— ...

— Ringwood, ça ne va pas ?

Richard Ringwood leva vers lui un regard de fin de monde, un de ces regards creux, que plus rien n'habite. Il ouvrit la bouche et une sorte de chuintement pénible en sortit. Cagney comprit qu'il allait fondre en larmes. Il ne fallait pas, surtout pas devant Glover. Ringwood ne se le pardonnerait jamais.

— Reprenez-vous, Ringwood. Parlez si vous avez quelque chose à dire, ou alors sortez un peu vous aérer.

Une voix méconnaissable lui répondit :

— Oui, monsieur. Je vais… prendre l'air, un peu.

Il se cramponna aux accoudoirs de son fauteuil et sortit d'un pas si lourd et malaisé que Cagney faillit se porter à son aide, mais se retint.

Glover le suivit du regard et resta quelques instants muet.

— Que se passe-t-il, monsieur ?

— Je crois que c'est une chose que Ringwood et moi devrons partager seuls. Merci, Glover, ce sera tout. Branchez le Boston PD sur nos dernières découvertes, voulez-vous ? Je veux qu'on écume tous les cours de danse, magasins d'articles spécialisés de Boston puis, si ça ne donne rien, de tout l'État. Je me charge des Français et de Mrs Parker-Simmons.

— Bien, monsieur. On cherche quoi, dans les cours de danse ?

— Je ne sais pas, faites-leur un topo exhaustif. On ratisse large.

Cagney resta seul. Cette envie croissante qu'il avait d'elle depuis qu'elle portait son bébé, ce besoin presque maladif de sentir son ventre tendu contre le sien, de caresser les seins alourdis, procédait de cette même fascination animale. Une sorte d'euphorie charnelle engendrée par la fabrication d'une vie qui venait aussi de lui. À cette différence près que son appétit d'elle naissait d'un amour fou qui jamais ne blesserait, ni n'abuserait.

Il occupa les minutes qui suivirent à relater au profit de Harper ce qu'il venait de comprendre. Harper était ravi, sans doute parce que, comme lui, il flairait l'imminence de la curée, mais qu'elle ne le satisfaisait pas pour les mêmes raisons. Il appela ensuite Gloria. Comment lui dire ? Par admiration pour ce cerveau si versatile qu'il saisissait si mal, il opta pour une narration plate, factuelle. Un silence, puis un bruit répétitif : elle respirait bouche ouverte, comme un animal.

— Ça va ? Je t'aime, n'oublie pas. C'est un autre monde.

— Non, c'est faux. C'est le nôtre, c'est celui que nous avons toléré.

— Gloria, qu'est-ce que tu vas faire ?

— Rien, réfléchir.

— Gloria, écoute-moi. Tu ne tentes rien. Ces types ont un tel nombre de meurtres de femmes derrière eux qu'ils n'hésiteront pas une seconde à en ajouter un.

Elle eut ce rire de gorge qui le faisait redevenir si doux tout en dedans, une fragilité transitoire dont il avait tant envie, parce que enfin tout devenait joli et charmant.

— Tu me vois, faisant le coup de poing sur un parking désert avec mon gros ventre ? Non, non, pas moi. Je ne sais même pas comment on donne un coup de poing. Il faudrait que j'apprenne, d'ailleurs. Ça ne doit pas être sorcier. Il paraît que le pouce doit être à l'extérieur et jamais plié dans la paume. Peu importe. Pour l'instant, je me sers de ma bête, si efficace, beaucoup plus redoutable.

— Ta bête ?

— Oui, celle qui occupe mon crâne.

— Je ne te parle pas de ça, et tu le sais très bien.

— …

— Réponds, Gloria !

La voix atone, décalée par la distance :

— Je les hais, je veux qu'ils meurent.

— Promets, jure que tu ne feras rien d'autre ! Je veux un serment.

— C'est idiot, je ne vois pas très bien ce que je pourrais faire d'ici. Bon, si ça peut te rassurer, je promets, je jure, je crache.

— Alors, ça va. Je t'aime.

— Moi aussi. J'en ai marre. Je veux de la lumière. Je veux que tu apportes la lumière.

Oui, la lumière. Pourvoyeur de lumière, c'est un joli métier. Où était-elle, cette putain de lumière, dans tous ces souterrains, dans tous ces dossiers qui relataient l'horreur ?

Lorsque Ringwood rejoignit son bureau, s'affalant sur le fauteuil qu'il avait quitté moins d'une demi-heure plus tôt et se pliant en deux comme s'il allait vomir, Cagney savait ce qu'il allait dire. Mais sans doute avait-il besoin de le formuler lui-même. Aussi attendit-il.

Un silence si pesant que seul le souffle rauque de Richard rythmait. Son odeur parvenait jusqu'à Cagney, une odeur de sueur et de trouille.

— C'était aux vacances dernières. Fin août. Je m'étais offert une petite semaine à Boston, besoin d'alibi culturel sans doute. Je lisais devant un cappuccino, dans un café de Faneuil Hall. La fille est entrée. Elle était si jolie, si jeune. Elle avait l'air paumé. Le fait que je la regarde l'a sans doute encouragée à s'approcher. Je lui ai offert un café, un croissant. Elle était enceinte, craquante dans sa petite robe à fleurs avec son sac en tissu tout brodé. Bref, de fil en aiguille, ça s'est terminé à mon hôtel. Elle avait soi-disant été plaquée par son petit ami lorsqu'elle lui avait annoncé qu'il devenait papa. Ses parents l'avaient jetée dehors et elle n'avait pas un sou. Elle avait un très léger accent mais je n'ai pas cherché plus loin parce que au fond, je crois que je n'avais pas envie de savoir. Je lui ai filé 300 dollars et le lendemain, elle avait disparu...

Cagney attendit la suite, la vraie raison du malaise de Ringwood.

— ... Elle avait des bleus sur le haut des cuisses. Elle m'a expliqué qu'elle marquait facilement et qu'elle se cognait partout... J'ai gobé toute cette histoire parce que j'avais envie de coucher avec elle. J'ai légitimé le trafic de ces types. Si ça se trouve, c'est une des deux filles allongées dans le congélateur de notre morgue.

Il se leva d'un bond et cria :

— Il faut que je les voie ! Il faut que je sois sûr !

Cagney intervint :

— Calmez-vous, Richard. La plupart des clients ont envie de croire à ce que ces types forcent les filles à raconter : jeune fille de bonne famille qui s'est retrouvée enceinte, le garçon l'a lâchée. Ils ne veulent même pas admettre qu'il s'agit de prostitution organisée. Comme vous. C'est tellement plus gratifiant d'avoir été choisi. Fort peu d'hommes sont excités par la réalité : une gamine camée qu'on tabasse pour vous la vendre. Du reste, la presque totalité des réseaux démantelés en Europe l'a été à la suite de l'appel anonyme d'un client qui avait décidé de comprendre. Calmez-vous, Richard, asseyez-vous.

— Je ne peux pas, je ne peux pas, il faut que je les voie !

— Ça changerait quoi que l'une d'elles soit cette jeune fille ?

— Je ne sais pas. Je ne sais pas, mais il faut que je sois sûr, parce que je vais péter les plombs !

Ringwood était en pleine crise de nerfs. Ses joues tremblaient et la sueur dévalait de son visage, trempant le haut de son col de chemise.

— D'accord. On y va, Richard.

Ils prirent l'ascenseur qui les descendit quelques niveaux plus bas, et suivirent le long couloir désert jusqu'à la lourde double porte métallique protégée d'une serrure électronique devant laquelle Cagney passa son badge. Une autre porte leur interdit l'entrée de la salle. Cagney tapa cette fois son code personnel.

Ringwood gloussa de façon incontrôlée :
— Ils ont peur que les cadavres se sauvent ?
— Non, ceci est la dernière chance d'une expertise, donc d'une enquête. Il faut protéger les indices de toute intervention extérieure. (Il précéda Ringwood dans la salle ronde et déclara d'un ton plat :) La première est très abîmée en dépit de la réfrigération. Et puis Zhang a dû pousser l'analyse très loin. Je ne les ai pas revues depuis. Je veux dire... Ce ne sont pas les morts que l'on a l'habitude de voir dans le cadre familial. Suivez-moi. Les congélateurs sont au fond.
Cagney tira un caisson, celui de la deuxième victime, et se surprit à prier : mon Dieu, je vous en supplie, faites que ce ne soit pas elle.
— Vous préférez que je m'éloigne, Richard ?
— Non, si je tombe dans les pommes, autant que vous soyez là.
La trace moite que la main de Ringwood laissa sur le rebord de la civière gela immédiatement, se matérialisant en poudre de froid blanche. Il tira lentement la fermeture à glissière qui fermait la poche bleu clair recouvrant la petite forme féminine.
— Vous pensez qu'il...
— Il a sans doute rabattu la peau du visage, dernier respect aux morts, mais je n'en suis pas certain. Vous n'êtes pas forcé de faire cela, Richard.
— Si. Oh si, à un point que vous n'imaginez pas.
Il écarta le pan de tissu plastifié et Cagney perçut un bruit, comme l'écho d'un sanglot.
— Ce n'est pas elle. Mon Dieu, dans quel état elle est. C'est dégueulasse, putain, c'est tellement dégueulasse. Mais pourquoi ?
Cagney suivit la lente glissade d'une larme qui se frayait un chemin sous l'épais verre des lunettes de son adjoint. Il posa la main sur la manche de chemise de Ringwood. Un geste inutile, mais un geste ami.

— On peut voir l'autre ?

— Oui, si vous y tenez. C'est la première.

La même prière lancinante, comme il tirait le deuxième caisson. Épargnez Ringwood, je vous en prie. Il ne s'en remettrait pas, tisserait des liens de culpabilité trop simples pour résoudre quoi que ce soit.

Ringwood hésita et Cagney sentit la sueur lui dévaler le long des flancs en dépit du froid glaçant qui régnait dans la salle.

— Ce n'est pas elle. Celle-ci est moins blonde, pas le même petit visage. Enfin ce qu'il en reste.

Ils sortirent de l'ascenseur et Ringwood lâcha :

— Je... vous remercie. C'est une plaie, en fait, ce soulagement. Parce que les deux autres se sont quand même fait massacrer. Si ç'avait été cette fille, la mienne, je fonçais à Boston, et j'aurais retrouvé ce tordu. Je le butais. Tant pis pour les conséquences.

Cagney ne répondit pas, mais ne put se défendre d'une sorte de rancœur vis-à-vis de son adjoint. Oui, une plaie. Quoi, fallait-il coucher avec une femme pour qu'elle existe, qu'elle mérite qu'on la défende ?

BOSTON, MASSACHUSETTS, 7 MARS.

Elles le regardaient, assises gentiment côte à côte. Elles étaient si charmantes. Bien sûr, trois d'entre elles allaient bientôt partir. Leurs traits s'affirmaient déjà. Celle-ci deviendrait vite trop grande, trop lourde, cette autre manquerait rapidement de finesse. Vlad serait content, ce gros porc. Les petits cadeaux entretiennent l'amitié, paraît-il.

Trouverait-il jamais ce qu'il cherchait ? Le miracle. Un miracle peut-il récidiver ? Surtout à si brève échéance. Avec beaucoup de travail et d'acharnement, peut-être parviendrait-il à forcer la providence. Elle, la plus menue, celle qu'il venait de baptiser Claudia, car avant aucune n'avait de nom, pour quoi faire, un nom ? N'avait-elle pas quelque chose d'un début de miracle ? Se fourvoyait-il à nouveau ? Les enfants sont si trompeurs, sans doute parce qu'on leur prête hâtivement tant de possibilités.

— Viens mon ange, ma chérie, mon amour. Viens, lève-toi. Tu es belle, si parfaite. Enlève ta robe, ma merveilleuse. Oui, il fait un peu froid, je sais, mais tu vas voir, dans une minute tu n'y penseras plus. Dans une minute tu rejoindras la lumière.

La petite fille le fixait, terrorisée. Elle savait. Elle savait depuis longtemps qu'il ne fallait pas protester, geindre, se plaindre. Parce que alors ce serait terrible. Quelqu'un viendrait et l'emmènerait. Elle était certaine que de l'autre côté de ces murs, au-delà des grands tapis, des immenses miroirs, il n'existait que l'enfer. C'est quoi, l'enfer ? Une sorte de grand trou sombre et glacé qui vous aspire et on crie si fort mais personne ne vous entend plus. Du reste, aucune des autres n'en était revenue.

Elle se leva comme elle avait appris à le faire et dénoua les rubans compliqués de sa robe de velours et de dentelle. Elle se tint devant lui, juste couverte d'un mince justaucorps bleu pâle. Pieds nus, comme lui.

— Oh, que tu es belle ainsi, mon ange. Allez, ma chérie, les pointes. Regarde, comme moi.

L'enfant vit le poids de l'homme léviter avant de retomber sur le bout de ses ongles de pied, et les dernières phalanges devinrent blanches sous la pression. Il souriait. Mais elle savait à quel point cela faisait mal.

— Allez, qu'attends-tu ?

À son ton, elle comprit qu'il s'énervait, et serra les dents. Cette douleur-là, elle la connaissait, et cela valait mieux que le reste. Elle savait depuis quelques jours que les autres allaient partir, mais elle ne leur dirait rien.

Elle força un sourire angélique à étirer ses lèvres et le regarda, les yeux noyés. Son poids, balancer son poids vers l'avant, le retenir sur ces minuscules os, et avancer. Les crampes allaient venir, vite, électrisant tous les muscles de ses jambes, lui coupant le souffle. Mais il faudrait continuer à sourire, à tendre joliment le bras, à rentrer le pouce, surtout ne pas oublier.

Et elle avança, écrasant les sanglots dans sa gorge.

Il applaudit des deux mains, ivre de joie :

— Tu es belle, si jolie, mon ange ! Continue encore un peu, je ne m'en lasse pas. Voilà, tendu, tendu, c'est parfait. Un entrechat, allez, pour papa, un bel entrechat !

Les trois autres petites filles considérèrent ce couple étrange. Elles s'avancèrent pour danser à leur tour. Il les écarta d'un mouvement gracieux de main.

— Non, pas vous, c'est inutile. Reposez-vous. Nous n'avons pas besoin de vous.

Un des trois petits anges blonds fondit en larmes. Elle avait compris.

SAN FRANCISCO, CALIFORNIE, NUIT DU 7 AU 8 MARS.

Elle se releva, accusant son ventre de son insomnie. Mais c'étaient toutes ces feuilles imprimées, celles qu'elle avait repêchées sur Internet. Les lucioles. Tout y était : les tortures, la came, les avortements, même le prix des passes en fonction des « services ». Le plus étrange, c'est qu'ils avaient retrouvé pour passer les filles le chemin des caravanes de contrebande du Moyen Âge. Ils avaient d'abord infiltré l'Italie puis la France, ensuite tous les autres pays européens et le Japon. Des articles de journaux, de magazines. Des témoignages aussi, comme celui de cette femme française, ancienne prostituée, qui tentait de secourir ces filles en sillonnant Paris la nuit dans son bus. Mais les gamines étaient terrorisées, elles n'avaient plus confiance en rien depuis si longtemps. Alors elles se cachaient de ceux qui auraient pu les aider.

Gloria s'installa devant son bureau et alluma ses ordinateurs.

La nuit sécrète un étonnant mutisme, un mutisme qui peut aussi facilement basculer dans l'angoisse ou vers une sorte de paix menteuse, mais propice à la réflexion et au travail.

Gloria aimait le silence de sa grande maison parce qu'elle en avait appris les contours. Ce froissement fugace : le bois des poutres qui expiraient après une longue journée d'humidité. Cette pression contre les fenêtres qui propulsait l'air vers elle : une voiture trop rapide qui s'envolait en haut de la colline. Ce gémissement rythmé mais à peine perceptible : une brise qui s'engouffrait par-dessus les hautes haies de thuyas qui protégeaient son jardin des regards voisins, frôlant les larges pots de terre cuite plantés de buis à tête ronde. La maison lui révélait son jeu de piste, semant des indices pour elle seule. Car on n'achète pas simplement une maison, comme on s'offrirait une voiture ou une paire de chaussures : on se présente, on espère être accueilli et on écoute.

Elle relut et corrigea le long mail en français qu'elle destinait à ce Pierre de Paris. Elle y relatait ses différentes expérimentations mathématiques et ses conclusions, et proposait une synthèse de la contre-expertise réalisée par l'anatomopathologiste du FBI.

Sans doute Cagney préviendrait-il les autorités françaises, mais elle était sûre que son goût de la confidence lui ferait délaisser leur premier informateur. Pierre méritait de savoir que ses petites mortes à lui ne seraient pas oubliées, qu'elles formaient une sorte de chaîne qui peut-être protégerait d'autres très jeunes filles.

Préviendrait-il Hugues de Barzan, son ami ? Peut-être. Sans doute. En quoi cela avait-il une quelconque importance ? C'était très important. Qu'Hugues juge de son travail, comme il l'avait fait quelques années auparavant. Qu'il sache que ce cerveau qu'il avait maltraité, façonné, rendu si fiable, était sans doute sa plus parfaite création. Qu'il la suive dans ses raisonnements comme elle avait recueilli les siens. Et puis, pourquoi ne pas avoir le courage de l'admettre, s'excuser lâchement de son départ, de cet abandon si minable. Lui faire comprendre qu'elle regrettait, qu'elle était toujours là, sans se risquer à une confrontation qu'elle redoutait.

Elle envoya le message.

BASE MILITAIRE DE QUANTICO, VIRGINIE, 8 MARS.

Lorsque Cagney arriva devant le parking comble du Jefferson, il était plus de dix heures du matin. Une pluie obstinée et glaciale tombait depuis le début de la nuit, en adéquation avec son humeur.

Il s'était résolu à passer chez son médecin un peu plus tôt, à avouer qu'il souffrait et que la maîtrise de cette douleur lui échappait. Le docteur Frederik Carsen avait à peu près le même âge que son patient. Il avait souri :

— La douleur n'est ni une maladie honteuse, ni une faillite personnelle. D'autant qu'il n'y a pas de maladie honteuse. La douleur est un signal physiologique qui vous prévient que quelque chose ne va pas et qu'il convient d'y remédier. Ce besoin très judéo-chrétien – bien que pas mal de sociétés humaines y aient également vu un passage initiatique – de dépasser la souffrance, d'être plus fort qu'elle, est une aberration inflammatoire.

Sans doute la biologie lui donnait-elle raison, mais c'était presque soixante ans de vie qu'il aurait encore fallu renier. Son contrôle, cette domination permanente de ses envies, de ses peurs, étaient devenus au fil des années la seule nature que Cagney se connût. Le masque s'effritait avec le bouleversement apporté par Gloria, mais ne devait céder qu'avec elle. Sa façon de voir le monde, d'avoir besoin de lui et ce futur bébé légitimaient les changements de Cagney, avec une urgence qu'il ressentait sans pourtant la comprendre tout à fait.

Il acheta les anti-inflammatoires et les antalgiques au drugstore voisin comme on se résoudrait à une mauvaise action, mais les avala aussitôt.

Ringwood se traîna dans son bureau alors qu'il suspendait son pardessus mouillé. Cagney lui en voulut un peu parce qu'il avait besoin de ces quelques minutes de solitude qui lui permettaient de passer dans un autre univers. Il jeta un regard sur son adjoint. Une barbe naissante poivre et sel lui donnait l'air encore plus décrépit que d'habitude, ses rares cheveux étaient collés de sueur, il sentait fort et sa chemise était tachée de café, d'auréoles étranges et désagréables.

— J'en déduis que vous n'êtes pas rentré chez vous depuis hier soir ?

— Juste. Le problème, c'est que je n'ai pas suivi votre conseil.

— Qui était ?

— D'avoir toujours une chemise de rechange au bureau. Mais j'ai une brosse à dents et du déodorant, sauf que je sens fort, j'ai toujours été comme ça.

— C'est hormonal.

— Je... je voulais vous présenter mes excuses pour hier. Je sais que ça restera entre nous, mais... enfin, cette crise de nerfs, pas digne pour un homme de mon âge.

— Je ne sais pas si c'est digne, en tout cas, j'ai trouvé cela plutôt rassurant.

— Ah... Je... Enfin, ne croyez pas que ce soit une habitude.

— Quoi donc ?

— Les... Enfin, des rapports sexuels avec des...

— Prostituées ou gamines à peine pubères ?

Ringwood se redressa, blême :

— Non, non, pas ça. Avec cette fille, c'était très différent. Les autres, car oui, il y en eut quelques autres, étaient des femmes. Vous savez, ça fait onze ans qu'Elizabeth m'a plaqué. Je n'ai jamais éprouvé le besoin d'une vraie relation depuis. Je crois que je n'ai jamais vraiment aimé qu'elle. Cela étant, il faut bien que le corps exulte parfois. Toutes les autres me faisaient penser à elle, je crois. Je vous rappelle que ma femme n'a que deux ans de moins que moi. En tout cas, ce qui est vrai, c'est que je n'ai pas une seconde pensé que mon fric pouvait servir à maltraiter ou torturer des filles.

— C'est un des innombrables effets pervers de nos sociétés. Nous avons entouré le sexe de tant de choses sales. On ne refera pas le monde, Ringwood, et pour l'instant, je colle à la loi. Elle est loin d'être parfaite, mais elle permet de s'orienter. La prostitution volontaire de majeurs n'est pas un crime. Le proxénétisme, si. S'ajoutent dans certains cas, dont le nôtre, les tortures et le meurtre. Alors, bien sûr, pourquoi des femmes, majoritairement, sont-elles forcées de se prostituer pour payer leurs études, élever leurs gosses ou simplement survivre ? C'est un vrai débat de fond, mais il ne nous appartient pas pour l'instant. Pour l'instant, nous sommes payés pour faire respecter la loi.

— J'ai téléphoné à Elizabeth hier soir, très tard. Je lui ai tout raconté.

— Vous êtes fou, Ringwood.

— Pourquoi ? Faute avouée est à moitié pardonn...

— Non, foutaise ! Ce que vous avez fait, c'est prendre votre femme pour une poubelle. Vous décharger sur elle à bon compte. Quand on fait une connerie, on l'assume. La maladie de notre monde, c'est cette passion pour la confidence. On se sent tellement plus léger après. C'est l'autre qui éponge, qui se sent mal, peu importe. Offrez-vous un psychanalyste, ou rendez visite à un prêtre, ils sont là pour ça.

Richard Ringwood se laissa tomber sur un fauteuil et baissa la tête :

— Merde, vous avez raison. Merde, je suis nul !

Glover repoussa avec violence la porte de Cagney, sans penser à frapper, et tendant une feuille, lâcha :

— On vient de recevoir la comparaison des empreintes génétiques françaises. Les deux premières gamines étaient probablement demi-sœurs, du côté du père.

— Comment peuvent-ils savoir cela ?

— Euh... Ça je ne sais pas. Mais attendez, j'ai pire...

— Quoi, parlez !

— Les fœtus du charnier aux environs de cette ville, Lyon, c'est ça, ils en ont dénombré huit. Deux géniteurs, mais la plupart d'entre eux, cinq, sont du même père. La deuxième victime française, était la mère de deux des fœtus.

Cagney le fixa comme s'il venait de proférer une obscénité, et eut du mal à trouver ses mots :

— Vous pouvez répéter ?

Glover lut, détachant les syllabes comme le ferait un enfant qui apprend tout juste ses lettres. Il conclut d'une voix blanche :

— Dernière conclusion des flics français. Je vous assomme avant, ou on y va sans anesthésie ?

— ...

— La deuxième victime X, celle qui a laissé deux

bébés dans cette fosse, était également la fille d'un des géniteurs. Ce qui signifie que ses enfants étaient aussi son frère et sa sœur.

L'impression d'un gouffre qui va happer toute la lumière, sans jamais plus la restituer. Ne pas plonger, s'en approcher assez pour le comprendre, c'est tout. C'est la règle de base pour rester en vie. Faire un truc, quelque chose de tangible. James Cagney annonça d'un ton plat :

— J'appelle Amy Daniels, à Washington. Il est souhaitable que nous comprenions les implications de ce que nous lisons.

Le docteur Amy Daniels fut un peu longue à se manifester. Lorsqu'elle répondit, elle était essoufflée :

— Je vous fais courir, Amy ?

— Ah ! James, oui, bien sûr, mais c'est ma deuxième nature. J'ai appris à courir avant de savoir marcher.

— Nous venons de recevoir le rapport français concernant les empreintes génétiques des victimes. Nous nous demandions comment on peut affirmer que deux jeunes femmes sont demi-sœurs et qu'elles n'ont pas la même mère.

— Oh, c'est très simple. Mais... Ce ne sera pas de la tarte à expliquer. Bon, attendez... Vous savez qu'il existe des organites intracellulaires appelés mitochondries...

Au silence massif qui accueillit sa tentative pédagogique, Amy Daniels sentit qu'elle faisait fausse route. Elle reprit :

— Les cellules sont des organismes vivants. À ce titre, elles ont en permanence besoin d'énergie pour fonctionner et se multiplier. Ces petites inclusions qui sont dans la cellule, les mitochondries, sont les centrales électriques de la cellule.

— D'accord, répondit Cagney.

— Il y a de l'ADN dans ces organites, le support de notre patrimoine génétique, celui grâce auquel on réalise les empreintes génétiques, à ceci près que celui-là se situe dans le noyau de la cellule. Eh bien, l'ADN des mitochondries provient exclusivement de la mère, sans aucun mélange avec celui du père. En d'autres termes, tous les enfants d'une même mère, quel qu'ait été leur géniteur, possèdent un ADN mitochondrial totalement similaire.

— Il n'existe rien de comparable avec le seul ADN paternel ? insista Glover.

— Non, il est retrouvé associé au maternel dans les chromosomes du noyau. On réalise des gels avec les régions hyperépétitives de l'ADN. Elles sont très spécifiques de l'individu, mais, bien sûr, dépendent du père et de la mère. Lorsque deux individus présentent des séquences possédant des similarités, c'est qu'ils ont des liens de famille. Plus ces similarités sont importantes, plus le lien est direct.

— Je vois.

— Bon, maintenant que j'ai été si parfaite, si vous me disiez ce que vous avez ?

— Les deux premières victimes féminines étaient de même père et de surcroît, la seconde était la mère de deux des fœtus retrouvés dans cette excavation, non loin de Lyon. Les huit squelettes possédaient d'autres similarités ainsi que vous les nommez : deux pères en tout et pour tout.

— Oh, merde ! Donc, toutes ces histoires sont vraies ?

— Bien sûr, Amy, les pires sont toujours vraies.

Lorsqu'il raccrocha, la douleur de sa nuque commençait à le lâcher. Mauvais timing. Très mauvais, parce qu'il craignait son remplacement par l'autre souffrance, celle de ces filles, de ces bébés.

BOSTON POLICE DEPARTMENT, BOSTON MASSACHUSETTS, 8 MARS.

Squirrel s'étira comme elle le put contre le dossier du siège passager. Elle marmonna au profit de son partenaire Bob Da Costa :

— Tu vois, mon pote, je crois que je suis pas une fan de bière. Je la digère mal.

— Tu veux dire qu'à la huitième tu commences à te sentir bourrée, c'est cela ?

— Oh, qu'il est drôle le mariole ! Non, sans déc', Bob, je me sens un peu patraque.

— Faut que tu manges, cocotte. Je vais m'arrêter chez Mo's et tu avaleras un bon gros juteux hamburger.

Ladite viande bien saignante clignota en trois dimensions dans l'esprit de Squirrel, et elle salua cette intrusion d'un renvoi alcoolisé assez pénible.

— Je crois que je préfère un apple-pie sans crème et une soupière de café.

Bob gara la voiture devant le petit restaurant ouvert jusqu'à trois heures du matin, et aida Squirrel à s'en extraire.

— Tu sais que tu es assez gaulée en jupe ? Non, non, je t'assure, c'est la première fois que je te vois en fille, ben, c'est pas mal !

Vaguement flattée mais aussitôt hargneuse au souvenir de sa soirée, elle rétorqua :

— Ouais, ben ça risque d'être la dernière aussi. Putain, mais vous êtes pires que le chien de Pavlov ! Les mecs, je veux dire.

— Euh… Pourquoi ?

— Vous vous mettez à saliver dès que vous voyez un bustier, une jupe et des talons.

Bob sembla réfléchir et précisa :

— Non, ça dépend qui y a dedans. Mais c'est vrai que c'est « salivateur ». Enfin merde, c'est quand même plus joli qu'une salopette informe et cradingue, tu ne peux pas dire le contraire ?

Lorsqu'ils s'installèrent devant la table en Formica rouge, elle boudait. Elle murmura en avançant le torse vers lui :

— J'en ai marre de me faire mater et même peloter ! Enfin, au moins tripoter.

Cette sortie agaça Bob, il répliqua :

— Écoute, Squirrel, tu as insisté pour faire la taupe, tu t'en souviens. Baker et moi, nous t'avons prévenue. Il semble logique qu'une meuf, sapée minimum et passablement olé-olé, qui se balade seule dans des boîtes à putes et avale les bières les unes derrière les autres comme si c'était du yaourt, risque de se faire prendre pour une professionnelle ou une nympho, ce qui, en l'occurrence, revient au même.

Elle se redressa et se tint raide, bras croisés sous les seins avant de déclarer en claquant la langue :

— Ouais, t'as pas tort, sur ce coup !

Puis soudain, tout son torse s'effondra comme un sac et elle se tassa sur elle-même :

— Merde, au fond ce qui me mine, c'est qu'on n'a toujours rien ! Des putes et des michetons à la pelle, mais rien qui colle avec notre affaire.

— On va y arriver. C'est toujours long, à moins d'un coup de bol. Là, on ratisse le coin d'Hanstead, mais si ça se trouve, c'est à l'autre bout de la ville. Tu veux que j'entre avec toi la prochaine fois ?

— Tu rigoles, Bob ? T'es mignon, mais tu pues le flic à cent mètres. Même en planque dans la voiture, j'ai peur qu'ils te repèrent.

Penaud, il acquiesça :

— Ben oui, je sais. Je suis désolé, ma puce.

Elle tendit la main et caressa sa joue râpeuse d'un début de barbe :

— Je t'adore, Bob, ne change jamais.

— T'inquiète pas ma puce, je suis trop vieux maintenant pour changer. Et puis, je me vais à peu près bien.

Son regard s'éloigna d'un coup, se perdant en dedans de lui, et elle sentit qu'il rejoignait le petit fantôme douloureux de sa femme, Linda. Linda qu'il avait découverte un soir, ivre et trempée de son sang. Linda qui avait été tant fatiguée de sa vie, qu'elle avait tout déballé, pour une dernière fois, devant la gueule indifférente du pistolet de son mari.

Faire quelque chose, le rattraper avant qu'il soit descendu trop loin. Squirrel hurla d'une voix saoule :

— Bordel, j'ai faim, qu'est-ce qu'ils foutent dans cette taule ! Merde, je vais aller la chercher, cette nana. Faut que je me roule à ses pieds ou quoi ?

Il s'arracha à son petit enfer quotidien et revint à elle, inquiet à la perspective d'un scandale chez son copain Mo.

— Arrête, Squirrel, pas de grabuge ici !

Elle avait gagné. Elle se tut et soupira. Leurs regards s'unirent au-dessus de la table, l'un jaune mordoré, l'autre presque noir, et il y lut le reste de la peur de la très jeune femme. Il comprit et sourit comme s'il allait pleurer :

— Je t'aime, rigolote, n'oublie pas.

— Moi aussi je t'aime, mariole, et t'as pas intérêt à oublier, toi non plus.

— Bon, merde, c'est vrai ça, on bouffe, ici, ou quoi ?

Squirrel mastiquait avec peine sa dernière bouchée. Avaler cette mince part de tarte avait tenu de l'épreuve de force. La fatigue, la panique de l'échec et la quantité d'alcool qu'elle avait ingéré lui remontaient dans la gorge, comme une occlusion. Bob repoussa l'assiette qu'il avait méticuleusement saucée :

— Bon, on fait un saut à notre taule, on débriefe et je te ramène chez toi, tu n'es pas en état de conduire.

— Ça marche.

La taule, le Boston PD, était presque déserte à cette heure. Ils y croisèrent quelques flics au visage défait, à l'allure épuisée. Squirrel expédia leur rapport en style télégraphique et faillit s'écrouler de sommeil, le visage contre l'écran de son ordinateur.

Lorsque Bob la déposa une demi-heure plus tard en bas de chez elle, sa décision était prise. Elle continuait. Elle allait trouver. Mais la prochaine fois, elle irait seule. Finalement, elle croyait presque ce qu'elle avait sorti un peu plus tôt à Bob. Il suintait la loi par tous les pores de la peau, et si c'était une des raisons pour lesquelles elle l'aimait tant, elle finissait par se convaincre que ce légalisme se matérialisait comme une sorte d'effluve, perceptible par les autres.

— Salut, Bob, merci. Rentre bien.

— J'attends de voir la lumière chez toi. On recommence demain soir ou tu lâches ?

Elle hésita :

— Non, pas demain. Je suis crevée. Faut que je me repose. Mais je ne lâche pas. Après-demain.

— Ça, c'est une cocotte, et une vraie !

Elle fonça vers l'entrée de son immeuble afin qu'il ne perçoive pas sa gêne. Merde, lui mentir à lui !

SAN FRANCISCO, CALIFORNIE, 8 MARS.

Étonnant, cette journée internationale de la femme. Vaste foutaise ! Un hochet, même pas, car que faisait-on de plus ce jour-là ? Si, l'hypermarché du coin offrirait une petite rose malingre et déjà sèche à toutes les femmes qui passeraient par ses caisses. Un vrai progrès de société ! Il faudrait un jour avoir le courage de rechercher les statistiques des tabassages, des viols, des meurtres commis contre des femmes en ce fameux 8 mars et les comparer à celles du jour précédent ou du suivant. La démonstration était sans doute trop crue.

La sonnette de l'Interphone la fit se relever. Elle enclencha la caméra. Un livreur de FedEx attendait, un sourire affable aux lèvres.

Lorsqu'elle ouvrit la lourde porte, elle eut droit à un speech bien rodé, commentant l'heure d'envoi et celle d'arrivée, concluant que FedEx avait respecté ses délais.

— Si vous voulez bien signer sur ma petite boîte magique ?

La prenait-il pour une idiote ? Elle saisit le stylet et traça son nom sur l'écran à cristaux liquides. Il crut bon d'insister dans la louange :

— Moi, je dis, y a rien de plus joli qu'une femme enceinte ! Ça vous met du soleil pour toute la journée.

Elle répondit d'une voix cinglante :

— Ça devrait surtout intéresser votre femme !

Il bafouilla, visiblement sidéré que son anodine plaisanterie puisse provoquer une telle réaction :

— Je voulais pas être grossier, au contraire. Excusez-moi. Enfin, c'était un compliment, je veux dire.

— Vraiment ? Merci, au revoir.

Elle claqua la porte. Bon, elle avait réagi stupidement, d'accord. Ce type tentait juste d'être gentil et de bien faire son boulot. Mais pouvait-il savoir, cet aimable livreur, ce que contenait la grosse enveloppe qu'il venait de lui tendre ? Des histoires de piratages meurtriers de ventres, gros comme le sien.

Gloria enclencha la vidéo sur laquelle était inscrit un gros « 1 ».

Kathy Ford était une très jolie jeune fille. Une grande rousse élancée aux lourds cheveux très frisés. Une petite bouche en cœur, un grand regard mordoré qui tranchait sur une peau de lait. Elle avait pleuré et se mordait les lèvres afin de retrouver un semblant de maîtrise.

Une femme flic, que la caméra ne dévoilait pas, interrogeait Kathy Ford, doucement sans doute par égard pour sa panique, et aussi pour Andrew Harper.

— Mademoiselle Ford, pourriez-vous nous relater dans le détail ce qui s'est passé cette nuit-là ? Comme ça vous vient. Nous avons tout le temps. Souhaitez-vous quelque chose à boire ? Une cigarette, peut-être ? Il est interdit de fumer, mais nous ferons une exception et ça ne me gêne pas.

— Non, merci. Si, une cigarette, je veux bien. J'avais arrêté, mais j'ai recommencé.

— Je comprends.

Un paquet de blondes fut poussé par une main féminine dans sa direction, suivi d'un petit briquet vert et d'un cendrier en aluminium rouge, comme ceux des fast-foods.

Kathy Ford alluma une cigarette, exhala lentement la fumée, et son menton trembla. De grosses larmes dégoulinèrent le long de l'arête de son nez, vers ses lèvres, elle hoqueta :

— Elle s'est signée, elle s'est écroulée sur moi en disant : « Je n'ai jamais rien fait de mal. » Je n'oublierai jamais son regard, elle souriait et elle mourait. Et moi, je la cramponnais, je n'ai pas compris. Sur le coup, j'ai cru qu'elle se trouvait mal, jusqu'à ce que je voie son sang sur moi. Je sentais son ventre tout chaud contre le mien. Elle était enceinte. Elle est devenue si lourde, elle était morte, je crois. Je suis tombée avec elle contre la voiture, je ne voulais pas la lâcher. Son regard était toujours collé au mien.

Gloria vit les épaules de Kathy Ford se casser, sa tête partir vers l'avant, sa voix s'éteindre dans les sanglots. Son front rejoignit le rebord de la table d'interrogatoire.

La main féminine se tendit et caressa la magnifique chevelure d'un riche auburn.

— Je sais, je comprends. Il faut qu'on coince le type qui a fait cela, Kathy. Nous avons besoin de vous. Je vous en prie, aidez-nous, pour elle.

Kathy releva la tête, son regard avait changé, un regard de rage, de meurtre :

— Oui, il faut. Sale tordu ! Excusez-moi.

Elle s'essuya le nez d'un revers de poignet et une autre main, masculine celle-là, lui tendit un paquet de mouchoirs en papier.

— Elle était très jeune, plus jeune que moi. Enceinte. Très blonde, cheveux longs. Les yeux bleus. Un joli petit visage. Elle m'a fait penser à Whitney…

Elle s'interrompit et plaqua un mouchoir sur ses yeux.

— Whitney Harper ?

— Oui, c'est ma meilleure amie. Elle n'a pas dit grand-chose, mais j'ai pensé qu'elle avait un léger accent, autrichien ou allemand, je ne sais pas… Je ne suis pas sûre de ce que je vais vous raconter maintenant, mais lorsque je suis sortie du Brigham and Women Hospital – j'y suis restée trois jours, je n'arrivais pas à évacuer – je suis retournée là-bas. Je me suis plantée exactement là où j'étais cette nuit-là. Elle sortait en courant d'une contre-allée qui s'appelle Hanstead. J'en suis presque sûre. Whitney et moi avons sillonné les alentours deux jours de suite, mais nous n'avons rien vu. D'ailleurs, je ne sais pas ce que nous cherchions.

La conversation continuait durant une bonne heure. Kathy Ford y évoquait la soirée de la Saint-Valentin, Whitney et son petit ami du moment, un certain Rupert, qu'elle n'avait plus souhaité revoir.

La deuxième bande n'apportait rien d'autre, si ce n'est que le chagrin de Kathy Ford cédait progressivement la place à une rage pure.

Gloria éteignit la télévision. Kathy Ford et son amie avaient eu le bon réflexe. Quelque chose devait se trouver à proximité de cette ruelle, Hanstead. Les « propriétaires » ne laissent jamais leur bétail sans surveillance. Il était évident que les flics et le Bureau avaient passé le périmètre au peigne fin. Cependant, on ne trouve que ce que l'on cherche. En d'autres termes, connaissaient-ils la nature de ce qu'ils cherchaient ? *Sui generis*.

SAN FRANCISCO, CALIFORNIE, 9 MARS.

Gloria sortit de la salle de bains. Dans une heure, un peu plus, elle retrouverait son bébé Clare pour une longue promenade.

Hier, en rentrant de Little Bend, elle avait eu envie d'effacer de sa mémoire le souvenir de la cassette vidéo visionnée le matin. Elle avait un peu traîné du côté de Castro et fini par tomber sur un cadeau merveilleux pour sa fille. Un plateau carré de bois noir, petite réplique d'un jardin zen. Le sable blanc hébergeait de minuscules cailloux noirs et blancs, polis jusqu'à briller, autour desquels les dents d'un petit râteau en peuplier traçaient des arabesques géométriques. Le gadget, car c'en était un, surtout pour les Occidentaux, n'était pas nouveau, mais elle ne l'avait jamais auparavant associé à Clare. Bien sûr, la jeune fille ne comprendrait jamais que ces lignes éphémères étaient les catalyseurs d'une méditation toujours répétée, toujours inachevée. Elle y verrait un jeu de construction et de destruction. Ceux qu'elle aimait le plus, comme la pâte à modeler, qu'on sculpte pour l'aplatir à nouveau et lui faire rejoindre son néant.

La sonnerie de l'Interphone la cloua de surprise. Qui ? Elle n'attendait personne, comme toujours. Elle alluma la petite caméra de surveillance. Encore un livreur de FedEx. Existait-il une autre bande ?

Ce n'était pas le même que la veille. Celui-ci, un grand type jeune, un peu voûté comme pour rejoindre la masse des plus petits que lui, lui sourit, lui tendant le paquet avant de la faire signer. Ses seuls mots furent :

— Merci, madame, bonne journée, madame.

Elle ouvrit l'épaisse enveloppe en plastique, se défendant d'un étrange pressentiment. Elle reconnut l'écriture haute et penchée, nerveuse et qui mordait le petit papier autoadhésif comme si elle souhaitait le dévorer avant même de déchiffrer la signature : Hugues. Le texte était laconique, bien sûr : « Cela tombe sous le sens, n'est-ce pas, Gloria ? » Elle tira de l'enveloppe un billet pour le Boston Symphony Hall. Un billet pour l'unique représentation dans cette ville du Jin Xing Danse Theatre, le samedi suivant, à vingt heures.

Elle se dirigea lentement vers le salon et se laissa tomber sur le canapé. Le chiot réveillé par la sonnerie se plaqua contre ses jambes :

— Chut, le chien, ça va.

Non, ça n'allait pas. Pourquoi Hugues écrivait-il aujourd'hui ? Comment avait-il eu sa nouvelle adresse ? Était-ce un piège ou une aide ? Il était si retors, si amusé par toutes les stratégies de l'esprit. Serait-il là ? Sans doute pas, la chose eût été trop évidente, donc pas amusante selon ses critères. Pierre lui avait transmis ses messages.

Un danseur, Boston. Comment éviter dans ce cas l'unique représentation de la danseuse chinoise dans cette ville ? Logique, implacablement logique.

Gloria détestait les signes, les prémonitions. Ils sont le fruit de coïncidences statistiques, ou de vagues superstitions. Surtout, ne rien voir de révélateur ou de signifiant là-dedans. Pourtant, le fait que FedEx eût livré ces deux envois la troublait, comme un symbole n'attendant qu'une traduction. Les larmes désordonnées de Kathy Ford rejoignirent les quelques mots succincts d'Hugues de Barzan. Elle irait.

Elle parvint à joindre Maggie et lui demanda de venir s'occuper de Charlie durant deux jours. Elle partirait le lendemain, sans doute vers onze heures si les horaires d'avion n'avaient pas changé. Oui, un urgent contrat à Boston. Non, tout irait bien. Maggie était ravie à la perspective de jouer avec le chiot, de profiter de cette maison qu'elle adorait et de « la ventrée » de DVD qu'elle allait « s'envoyer, ma puce ! ».

Gloria resta quelques minutes lovée sur les coussins du canapé. Elle n'occuperait pas son appartement de Brookline. Il faut offrir trop de choses de soi pour réoccuper une maison vide depuis des années, et elle ne se sentait pas assez généreuse de cela. Et puis, elle était sûre de percevoir la trace de Sam partout, et son absence si définitive risquait de l'affaiblir. Elle allait réserver une chambre au Boathouse Hotel, non loin du MIT.

Demain, elle attendrait qu'il soit dix heures du matin en Virginie pour laisser un message chez James, qu'il ne trouverait que le soir.

Inutile d'expliquer pourquoi elle avait changé d'avis. Il tenterait de la convaincre et elle ne le voulait pas.

BOSTON, PRÈS DE HANSTEAD ALLEY, MASSACHUSETTS, NUIT DU 9 AU 10 MARS.

Squirrel attaqua lentement sa deuxième bière et lança un regard vachard vers le type qui s'approchait d'elle, hésitait, puis retournait s'asseoir au bar d'un air las.

Cette femme, assez grande, une fausse blonde cendrée, elle l'avait déjà vue hier, dans une boîte. Laquelle déjà ? Ah oui, le *Pussy Galore*, tout un programme ! Pas une prostituée, elle fixait son verre, levant rarement le regard et ne cherchant jamais celui des hommes. Pourquoi les filles qui tapinaient ce soir-là l'évitaient-elles ? Une mateuse, ou une femme qui cherchait une nana pour la nuit ? Sans doute pas, il existait de bien meilleurs endroits pour cela en ville.

Squirrel attrapa son verre et se leva. Une fois devant la table occupée par la femme, elle demanda d'un ton qu'elle espérait enjôleur :

— Je peux m'asseoir ?

Un regard savamment maquillé et d'une rare dureté se posa sur elle :

— Non. Casse-toi.

— Pardon ?

— J'ai dit casse-toi. Tu veux que j'affiche ton CV ici ?

Squirrel lâcha aussitôt.

— Bon, d'accord.

Elle sortit de la boîte et marcha un peu. Raté, il s'agissait bien d'une prostituée, la preuve, elle avait reniflé le flic sous la minijupe rouge et le bustier en fine laine blanche.

Elle poireauta plus d'une heure sous l'auvent passablement fané d'une French laundry. La petite pluie fine qui glissait en nuage devant elle la glaçait. Enfin, la grande femme blonde sortit de la boîte.

Squirrel la laissa prendre un peu d'avance et lui emboîta le pas. Elle marchait avec une aisance étonnante, pour une femme, dans cette rue pas trop bien famée, en pleine nuit. L'aisance physique que donne la connaissance du pire, celle que finissent par adopter les flics et les habituées des trottoirs. Elle tourna à droite vers l'avenue et s'approcha de sa voiture, une Corvette dernier modèle. Squirrel la rejoignit en quelques enjambées.

— Il faut que je vous parle, madame.

— Non. Barre-toi.

Une sorte de désespoir tirait les paupières de la femme. Squirrel insista :

— Je vous en prie, madame. Deux filles sont mortes ici. Trois autres en France. On pense qu'il s'agit d'un réseau de filles d'Europe de l'Est.

— Cinq ? C'est ça vos calculs ? Mais tu déconnes ou quoi ? Vous êtes bouchés, les flics ? Elles sont des dizaines à crever avec ces macs, depuis des années. Ou elles avortent au dernier moment ou alors on vend leurs gosses à des gentils couples blancs lorsqu'ils plaisent. Les autres, ceux qui sont trop foncés, pas la bonne couleur de peau ou d'yeux, pas le bon âge, pas le bon sexe, ou simplement pas d'acheteur au bon moment, ils disparaissent. Réveillez-vous les mecs, c'est chez nous, troisième millénaire. Tu sais, le pays où on s'affole d'une remarque déplacée, d'un fauteuil pas assez large pour qu'un obèse puisse s'y installer confortablement. Elles crèvent comme des chiens, bordel, tu comprends les mots ou tu veux que je te fasse un dessin ? Branche-toi sur Internet, cocotte, tu vas apprendre plein de vilaines choses. Putain, je rêve !

Elles s'affrontèrent du regard, et Squirrel crut qu'elle allait la cogner. Elle n'aurait rien fait. Elle se serait laissé tabasser sur place. Mince tribut pour une faute collective qu'elle commençait à peine à entrevoir. Elle parvint juste à articuler :

— Moi, je suis prête. À tout.

La femme la fixa encore un moment puis se tourna brusquement et s'affala sur le capot de sa Corvette jaune citron. Elle pleurait en donnant des coups de pied au pneu avant de sa voiture.

Squirrel attendit, n'osant ni approcher ni tendre la main. Pas cette femme-là, celle-là se soignait seule.

La femme se redressa. Le Rimmel avait tracé de longues coulées marron sur ses joues, son rouge à lèvres rouge vif bavait. Pourtant, elle était toujours belle.

— Monte, lâcha-t-elle en s'installant derrière le volant.

Squirrel prit place à ses côtés. Ce n'est que dix minutes plus tard, dix minutes peuplées du vide de sa tête, qu'elle demanda :

— Où va-t-on ?

— Chez moi. Brookline.

Aucune des deux n'eut envie de mots durant le reste du voyage.

La femme gara la voiture dans le parking souterrain d'un petit immeuble chic et la devança jusqu'à l'ascenseur. Son appartement était situé au troisième étage. Une large entrée débouchait sur un grand salon décoré de canapés de cuir vieux rose, de tapis de haute laine beige, de vases d'onyx et bronze ou de cristal. Le long des murs s'alignaient des aquarelles un peu niaises mais dont les tons s'harmonisaient avec la soie pêche qui tendait les murs. Cher, très cher et pas trop élégant.

— Je m'appelle Melissa, Melly pour ceux qui me connaissent.

— Moi, c'est Elizabeth-Ann, mais au poste, ils m'appellent Squirrel.

— Un scotch ?

— Oui, décidément je n'aime pas trop la bière.

— Moi, non plus. J'en ai tant bu durant toutes ces années. Rien que de la sentir, maintenant, ça me donne la nausée. Le pire, c'est l'haleine que ça leur file.

Squirrel ne put empêcher son regard de retourner vers une monstrueuse table basse chargée de dorures, aux pieds sculptés en forme de singe.

— Tu la trouves moche ?

— Non, non, euh…

— Moi, maintenant, je crois que c'est vraiment tarte, le problème, c'est que je ne suis pas sûre. Pourtant, j'avais pris un décorateur. Mais il a dû me proposer ce qu'il pensait me convenir. J'ai pas d'éducation, je me fie aux prix. Si c'est cher, j'achète. Je ne suis pas idiote pour autant, je vois bien que c'est pas ce qu'ils photographient dans les magazines de décoration. (Sa voix perdit cette nuance presque enfantine pour redevenir cassante.) D'un autre côté, ça me rappelle que j'ai du fric et que j'ai gagné chaque dollar ! On va s'asseoir ?

— Volontiers.

Elles s'installèrent sur un des grands canapés, leur verre à la main. La femme alluma une cigarette.

— Je suppose que tu ne fumes pas ?

— Non, merci.

— T'as raison. C'est pas bon pour la santé, surtout quand on a un métier physique comme le tien. Moi, j'étais pas sûre de passer la quarantaine, alors évidemment, je n'avais pas de raison de me priver d'alcool ou de clopes ! J'ai quarante-quatre ans. Ça fait pile quatre ans que j'ai arrêté. Je me l'étais promis, dès le début. Mais je savais combien je devais avoir de pognon pour prendre ma retraite. C'est le problème des autres filles, elles claquent tout en fringues, en dope, ou pour un gosse. Je parle de celles qui ne sont pas en main, celles-là leur mac leur pique presque tout. Quand elles ne peuvent plus, elles finissent à la rue, à l'hosto ou à la morgue.

Squirrel sentit que Melissa avait envie de parler, sans doute parce qu'il est plus confortable de tout déballer devant un étranger, lorsqu'on pense qu'on ne le reverra pas.

— Vous n'avez jamais été en main ?

— Si, la première fois. J'avais seize ans quand je me suis retrouvée sur le trottoir. Je viens du Missouri. On s'est tirés avec mon petit ami de l'époque, mon premier mec. On a traversé tout le pays jusqu'ici, en stop. On n'avait pas un rond. Dany s'est rendu compte que les types étaient prêts à pas mal de choses si je ne me montrais pas trop farouche. Il s'est dit que ce serait un moyen facile de faire du fric, d'autant plus facile que c'était pas lui qui s'y collait. La première passe, la première vraie, je veux dire, j'ai chialé tout le temps, et après je suis allée dégueuler mes tripes dans les chiottes de la chambre du motel. Au bout de quelques mois, j'ai expliqué à Dany que s'il voulait le fric, il allait falloir qu'il tende lui aussi son cul. Il n'était pas d'accord, alors je me suis cassée. J'ai gagné pas mal d'argent. Faut dire que je n'étais pas regardante, je prenais même les types dont les autres ne voulaient pas. Et puis, j'ai trouvé un bon conseiller financier.

La grosse différence dans mon cas, c'est que j'ai toujours su que j'allais m'en sortir, et que j'ai jamais laissé tomber mon idée. Elles, ces pauvres gosses, elles ne peuvent plus rien. Ils tiennent leurs gamins, elles n'ont pas un radis, pas de papiers, rien. En plus, si elles l'ouvrent, elles se font tabasser, et ils les cament jusqu'à la moelle. Alors j'essaie d'être là. Mais elles ont peur, elles sont mortes de trouille.

Melissa remplit à nouveau leurs verres d'une large rasade de scotch et se laissa aller en soupirant contre le dossier. Elle semblait soulagée d'avoir déballé cette liste de faits, sans émotion superflue, sans larmes, sans regret, parce que dans ce monde, là-bas, ça ne sert à rien qu'à se faire davantage entuber. Et Squirrel songea à Lionel. L'amour est un luxe si précieux et si fragile qu'il ne faudrait jamais le penser acquis.

— Melly, vous connaissez ces mecs, je veux dire ceux qui tiennent le réseau ?

Le regard glacé la détailla, pourtant, lorsqu'elle répondit, sa voix était toujours aussi grave et agréable :

— Je ne suis pas indic. Si ces filles sentent que j'ai craché le morceau aux flics, je ne pourrai jamais plus les approcher, sans compter que je risque de me faire descendre. Tu ne connais pas ces types. Moi-même, je n'avais jamais vu ça, et pourtant, crois-moi, j'ai vu de ces trucs…

Squirrel comprit que la persuasion, le baratin ne marcheraient pas avec elle, pas plus que la menace. Au contraire, peut-être avait-elle une chance en négociant.

— Je peux vous poser une question ?

— Vas-y toujours.

— Ça fait combien de temps que vous traînez dans les boîtes pour aider ces filles ?

— Trois ans, environ.

— Et en trois ans, vous en avez récupéré combien ?

Melissa vida son verre d'un trait et le posa si sèchement sur la table basse hideuse que Squirrel ferma instinctivement les yeux.

— J'ai pas encore…

— Aucune, c'est cela ?

Melly lui jeta un regard mauvais, et Squirrel poussa l'avantage :

— Je vous les offre. Toutes. Je veux dire, on fait une descente, on coffre ces types et on s'occupe des filles.

— Si c'est pour les renvoyer chez elles, ça ne sert à rien, elles crèveront aussi. Elles sont foutues maintenant.

— Non, asile politique ou un truc comme ça, ça doit pouvoir s'arranger.

— Et pourquoi je te ferais confiance ?

Squirrel planta son regard thé dans les yeux de la femme.

— Parce que vous n'avez pas de meilleur choix, et qu'il vient un moment dans une vie où il faut faire confiance à quelqu'un, sans filet.

Melly hésita et déclara lentement :

— Il faut que je réfléchisse encore un peu. (Elle regarda sa montre et proposa :) Il est plus de trois heures du matin. J'ai une chambre d'amis, tu peux coucher ici, si tu veux. Je vais nous faire un sandwich. Dinde et tomates-concombre, ça va ? Mon amie ne tardera pas à rentrer. Elle est infirmière de nuit au Brigham and Women, en pédiatrie.

Squirrel la regarda, étonnée. Elle avait songé à une louve solitaire. La savoir accompagnée dans la vie la troublait.

— Je vis avec une femme depuis deux ans, il y a un problème ?

— Oh non.

Elles s'attablèrent quelques minutes plus tard dans une grande cuisine devant deux assiettes débordantes de pain, de fines tranches de dinde, de rondelles de tomates et de concombre et d'un foisonnement de pousses d'alflala. Squirrel s'émerveilla devant l'énorme cuisinière en fonte noire et cuivre surmontée d'une hotte qui dissimulait le système d'aspiration électrique. Melly leur servit un verre de mercurey en précisant :

— C'est du vin français. Je bois beaucoup moins qu'avant et je ne prends plus du tout de speed, ni d'antidépresseurs. Terry, c'est mon amie, me surveille, et elle ne rigole pas, ajouta-t-elle en souriant pour la première fois.

Elles mangèrent en silence. Squirrel leva la tête à l'entrée de Terry qui fonça vers Melly, lui enlaça les épaules avant de déposer un baiser sur le haut de sa tête.

— Salut les filles ! déclara-t-elle d'un ton jovial. Hummm manger, nourriture, *yommy* ! (Puis regardant Squirrel, et tendant la main au-dessus de la table :) Bonjour, je m'appelle Terry.

— Bonjour, moi, c'est Elizabeth-Ann, dite Squirrel, du Boston PD.

— Bon, je suppose que si vous avez accepté l'invitation de Melly, c'est que nous ne serons pas arrêtées dans la minute, donc je peux m'installer et dévorer à mon tour.

Terry était une femme d'une quarantaine d'années, peut-être un peu moins. Petite, menue, les cheveux roux bouclés en bataille, elle avait cette joliesse que confère la vitalité. Melly déclara, en tendant la main vers sa compagne :

— Squirrel s'intéresse au même réseau que moi. Je t'en parlerai plus tard. Tu vas m'aider.

— Ça marche, toujours prête !

Elles papotèrent bouffe, coiffeur, boulot, échangeant quelques adresses, riant, rarement, bref évitant d'aborder à nouveau ce qui les avait réunies.

Lorsqu'elles se séparèrent pour la nuit, Terry colla une grosse bise sur la joue de Squirrel :

— Je ne vous verrai sans doute pas demain matin. Je dors tard. Revenez nous rendre visite en des temps plus doux. Ça me fera plaisir.

— D'accord. Merci et bonne nuit.

Et Squirrel s'étonna de ne pas avoir eu à mentir.

Elle s'écroula dans le grand lit bateau de la chambre d'amis.

Lorsque Melly vint la réveiller doucement, le lendemain à sept heures, elle ouvrit les yeux avec difficulté.

Les souvenirs de la veille traînèrent à se réinstaller dans sa mémoire.

— Il est sept heures. Je me suis dit que tu allais sans doute bosser. Il y a une brosse à dents neuve dans la salle d'eau attenante. C'est cette porte, là. Tu me rejoins pour le petit-déjeuner ? Il faut que je te parle.

Squirrel sauta dans ce que Lionel avait baptisé « des douches de Marines », deux minutes maximum pour se laver intégralement sans oublier les cheveux. Il est vrai qu'eux les portaient coupés en brosse.

Lorsqu'elle s'installa à la même table qu'hier, Melly soupira au-dessus de sa tasse de café noir.

— Café ? Je peux te faire un thé, si tu préfères. Il y a du jus d'orange, des céréales, des toasts, de la confiture. Elle est excellente, peu sucrée, c'est Terry qui la fait. Si tu veux, je peux te préparer une omelette.

— Oh, non, ça ira très bien. D'habitude, j'achète un donut, et un café immonde en gobelet en bas de chez moi.

— Surtout pas de cela devant Terry, elle te regarderait comme si tu allais mourir demain.

Squirrel se versa un plein mug de café et beurra un toast, attendant.

— On a pas mal parlé hier. Terry est quelqu'un de très logique. Elle aime l'efficacité en tout. Elle dit que tu as raison, que tout ce que j'ai fait, toutes ces nuits n'ont pas servi à grand-chose. Le problème, c'est que moi, par instinct et profession, enfin ex-profession, je me méfie des flics. J'ai rencontré pas mal de pourris dans vos rangs.

— Jamais de types bien ?

— Si, quelques-uns.

Un silence s'établit. Melly se servit une autre tasse. Elle n'avait rien mangé. Le regard perdu sur l'écume marron qui tournait lentement à la surface de son café, elle avoua enfin :

— Faut que je te dise. Cette fille… Une blonde, bien sûr, jeune, très jeune. Tania, ils l'appelaient. Elle s'est approchée de moi, je me suis dit que ce coup-ci, j'allais arriver à en tirer une de là. Au moins une, bordel ! Et puis, elle a eu peur. Elle m'a demandé très fort du feu, pour que tout le monde entende qu'on n'échangeait pas d'informations, et elle est repartie. Je ne l'ai plus jamais revue. Quelque temps plus tard, vous avez repêché cette gamine dans la baie de Boston. Depuis, je suis certaine que c'est elle qui a morflé, parce qu'elle m'avait abordée. C'est de ma faute. Alors… Alors je vais t'aider pour Tania. Mais fais gaffe, Squirrel, même si t'es flic. On ne me fait pas d'enfant dans le dos, je me venge toujours. Ça peut me prendre des années, mais je me venge, et je n'ai plus peur de grand-chose.

Squirrel la fixa et tendit sa main, paume vers le ciel. Melly la topa :

— Ça marche. Je parle qu'à toi, Squirrel. Je ne veux voir aucun autre flic, tu m'entends, aucun !

— Entendu, Melly.

— Dans cette boîte, celle où j'ai rencontré Tania, *The Snake Train*, c'est dans la *Combat Zone*, dans Tremont, il y a un mec. Stan, un grand blond baraqué à cheveux raides, mi-longs. C'est un Américain. Lui est juste là pour fliquer les filles et les clients. C'est un berger, joli nom pour un affreux métier. J'ai entendu des trucs. Le gros bonnet serait un type qui s'appelle Vlad. C'est tout ce que je sais. Si vous n'êtes pas trop cons, vous pouvez remonter jusqu'à lui grâce à Stan.

Une demi-heure plus tard, Melly la raccompagna dans l'entrée. Elle retint Squirrel sur le pas de la porte en murmurant :

— Quand tout sera terminé pour ces filles, quand on aura gagné contre ces enfoirés de merde, peut-être qu'on deviendra copines. Humaines, je veux dire. J'ai réappris avec Terry.

— Oui, j'espère. Tu sais, il y a des moments où je me demande si l'humanité n'est pas juste un mythe consolateur inventé par les humains.

BOSTON, MASSACHUSETTS, 11 MARS.

Gloria reposa sa tasse de thé sur le petit guéridon. Elle aimait bien ce Boathouse Hotel dans lequel elle descendait souvent avant d'avoir acquis son appartement de Brookline. Pourtant, elle regrettait presque son choix. La dernière fois qu'elle était venue ici, elle poursuivait ce tueur, Lady-Killer, par ordinateur interposé. Lorsqu'elle avait renoncé à la protection de ce clavier, de cet écran, aimables et puissants prolongements de son cerveau, il avait failli la tuer. Et elle n'avait rien tenté pour se défendre, elle était restée là, figée, attendant comme un animal d'abattoir la morsure de la lame. Sans cette femme, Katherine[1]... Ne pas penser à elle. Ne plus penser qu'elle avait négocié une vie humaine contre une inconnue mathématique.

Le Boathouse Hotel était un hôtel de taille moyenne, haut de trois étages, situé au bout de Vassar Street, non loin d'Audrey Street, un lieu surtout fréquenté par des conférenciers en visite au MIT, ou

1. *La Parabole du tueur*, Le Masque, 1998.

des professeurs. À l'origine, il s'agissait d'une de ces grandes demeures opulentes comme il en a tant existé dans cette ville, témoin décrépit mais toujours fort de la morgue de l'ancien Boston.

Gloria avait demandé une chambre donnant sur la Charles River, parce que la vue du fleuve paisible, des couples qui flânaient le long de ses berges plates, ou des joggeurs qui s'y épuisaient en échauffements et foulées plus ou moins efficaces, la rendait agréablement mélancolique. Un peu comme si une heureuse partie de sa vie s'était déroulée ici, alors qu'elle n'y avait logé que quelques jours.

Qu'attendait Hugues de Barzan de cette représentation ? Bien sûr, elle aussi en était arrivée à la même conclusion, mais comment allait-elle se réaliser ? Que cherchait-elle au juste ? Ou plutôt qui ? Que disait le professeur de mathématiques dans ce genre de circonstances, une phrase en français, fataliste et pourtant pleine d'espoir. Ah oui : « Qui vivra verra. » Vivre pour voir et savoir, une jolie équation.

Gloria jeta un regard à sa montre. Il était cinq heures. Qu'avait-elle fait depuis son arrivée, la veille ? Rien. Le taxi qu'elle avait pris à Logan Airport s'était, bien évidemment, retrouvé bloqué plus d'une demi-heure dans Callahan Tunnel, puis avait foncé comme si son salut en dépendait, à tel point qu'elle avait dû exiger qu'il ralentisse. Elle avait dîné rapidement d'une salade de homard dans un des innombrables bistrots d'étudiants de Harvard Square, puis s'était couchée. Lorsqu'elle s'était réveillée, vers cinq heures du matin, elle avait songé qu'il faudrait occuper toutes les heures qui lui restaient jusqu'au soir. Ne pas dériver dans sa tête, sans but précis. Trop compliqué, trop dangereux. Une robe, oui, il lui en fallait une pour ce soir. Elle avait commandé un taxi et s'était fait déposer devant *Bagels and Sugar*, le plus joli magasin de Boston pour les dames « dans son état », avait précisé le réceptionniste de l'hôtel, non sans une certaine déférence. Malheureusement, la robe avait été vite achetée. Elle avait ensuite eu la stupide idée de visiter à nouveau le New England Aquarium dans Central Wharf, un des plus beaux du monde. Elle avait gravi lentement l'énorme rampe en colimaçon qui s'enroulait autour d'un gigantesque cylindre rempli d'eau de mer. Des requins et des tortues de mer le sillonnaient. La nage si parfaite, si précise des tueurs marins la fascinait. D'abord une extrême lenteur, comme une promenade ennuyée, et brusquement ils fonçaient, gueule ouverte, meurtrière, vers les parois de Plexiglas. Et puis le souvenir s'était imposé. Elle avait emmené Katherine ici. Elle n'aurait pas dû venir. Effacer.

Gloria se leva de son fauteuil et se décida à rejoindre le bar. Elle avait le temps pour un verre.

Elle rejoignit la salle de réception aménagée dans l'ancien jardin d'hiver de l'immense demeure. Une grande coupole de verre soutenue d'armatures de fer forgé renvoyait aux convives les échos atténués de leurs rires et de leurs conversations. Gloria choisit une des petites enclaves de discrétion, protégée de palmiers en pots, et s'installa dans un des fauteuils de cuir havane. Un serveur fut immédiatement devant elle.

— Un verre de chablis français, je vous prie.

— Bien, madame.

Elle but lentement, épluchant le *Boston Globe*, se pariant à elle-même qu'elle parviendrait à faire durer le verre plus d'une demi-heure. Un long article vantant le miracle Jin Xing retint son attention. Ainsi que le précisait le journaliste en conclusion: on ne transcrit pas cette perfection en mots, il faut la voir.

Elle remonta dans sa chambre. Il était presque six heures, le temps de prendre une douche et de s'habiller.

Les ballerines plates et la robe Empire en velours noir ceinturée sous les seins la faisaient paraître encore plus petite et menue qu'à l'accoutumée.

Lorsque le taxi la déposa devant le Symphony Hall, entre Huntington et Massachusetts Avenue, non loin du Museum of Fine Arts, une foule sans doute plus distante et réservée que celle de San Francisco, mais dont les moyens n'avaient rien à lui envier, patientait, plaisantait, se saluant sobrement.

Elle demeura là quelques minutes, cherchant du regard elle ne savait quoi. Elle s'avança à petits pas vers les marches où des groupes de gens bien élevés, bien habillés, presque indiscernables les uns des autres, attendaient.

Que vit-elle d'abord ? Sans doute ces quatre petites filles blondes à anglaises, si sérieuses et si muettes, toutes vêtues de la même robe de velours grenat, rehaussée du même col de dentelle crème, chaussées des mêmes petites chaussures à bride, des vernies noires. On les aurait crues tout droit sorties d'un album pour enfant du siècle dernier. Mais après tout, que savait-elle de la façon dont les riches habillent leurs jeunes enfants ? Clare avait passé les sept premières années de sa vie seulement vêtue de couches-culottes et d'une sorte de longue chemise sac parce qu'elle se faisait dessous et déchirait ses vêtements lors de ses fréquents accès de panique ou de rage.

Et puis son regard échappa à la contemplation des fillettes, et se posa sur l'homme qui les accompagnait. Il était de profil, un beau nez droit, qui assagissait des pommettes saillantes. Il devait avoir trente ans, à peine. Il était beau à couper le souffle, parfait. Très grand, blond doré, les cheveux mi-longs.

Déjà parvenu en haut des marches menant au gigantesque hall, il se tourna comme s'il cherchait quelqu'un et leurs regards s'effleurèrent avant d'être séparés par le troupeau des dos en smoking. Des yeux bleu-mauve, comme les siens.

Gloria se poussa, se frayant un chemin dans la foule bien élevée. Elle suivit les enfants collées tout contre le pantalon de smoking. Elle les devança, accompagnant son jeu de coudes de : « Excusez-moi ! Pardon ! » Lorsqu'elle se retourna, son regard ricocha d'une petite fille à l'autre. Mortes, elles étaient presque mortes déjà.

C'était lui, comme une prédestination. Lui qu'Hugues l'avait envoyée trouver. Peu importait qui il était, c'était lui.

Elle respira à fond et se laissa devancer pour leur emboîter le pas. Elle le vit se pencher vers une des petites filles, la plus jolie, et déclarer :

— Claudia, mon ange, tu vas assister à une chose éblouissante. Regarde bien, ma douce. C'est bientôt toi.

Gloria lutta durant toute la représentation pour rester maîtresse d'elle-même. Le BSO, le Boston Symphony Orchestra, emporté lui aussi par la conviction que tous vivaient un moment unique, se surpassa. Mais elle avait déjà vu le spectacle, elle pouvait résister à cet incompréhensible éblouissement.

Cinq minutes avant la fin, Gloria quitta le théâtre. Elle héla un taxi et lui intima l'ordre d'attendre.

La foule sortit enfin, s'égaillant, hélant des chauffeurs, des taxis. Enfin, elle le vit.

— Vous voyez ce monsieur, le blond accompagné de petites filles. Suivez sa voiture.

Le chauffeur de taxi répondit dans un mâchonnement de chewing-gum :

— Oh là, c'est quoi cette histoire ? Je ne veux pas d'emmerdes, moi.

— C'est mon mari. Il n'a pas le droit d'emmener mes filles à un spectacle sans autorisation du juge. C'est la loi, monsieur.

— Ah bon, si c'est la loi, ça va.

Mais qu'est-ce qu'il foutait? Il descendait les marches, la main de Claudia dans la sienne, sans hâte. Il prenait à droite, pas de voiture?

— Bon, je descends.

— Quoi? Vous vous foutez de moi, là? J'ai raté des courses.

Elle lui tendit un billet de cent dollars.

— Je pense que c'est assez, non?

Elle suivit le petit groupe. Ah, merde, combien de temps allaient-ils marcher? Comment suivrait-elle avec son gros ventre? En plus, elle ignorait la façon de filer quelqu'un, et surtout un suspect potentiellement dangereux.

Elle eut envie d'abandonner, de retourner au Boathouse Hotel et d'appeler James qui devait être fou de rage. Sans doute aurait-il un peu de peine à digérer son message: «Je suis désolée, je ne serai pas chez moi ce week-end. Une affaire importante à l'autre bout du pays. Je t'appelle dès que je rentre.»

La pluie glaciale qui inondait les trottoirs s'infiltra au travers des semelles de ses ballerines. Elle frissonna, son grand châle élégant n'offrant qu'une mince protection contre le froid de cette nuit bostonienne.

Elle tenta de se rassurer en songeant que l'homme ne pouvait pas continuer ainsi sur des kilomètres accompagné de quatre enfants. Puis son impitoyable cerveau fit défiler pour elle le moindre mot du dernier compte rendu d'autopsie rédigé par Zhang, les orteils martyrisés par des années de pointe. Il n'en avait rien à foutre, ce tordu, avec sa perfection de danseur arrachée à la matière et à la souffrance. La fatigue de la marche commençait à lui crisper le haut des mollets. La pluie qui avait lâché la ville quelques minutes recommença à s'abattre. Gloria remonta son châle afin de se protéger la tête, elle grelottait.

Les petites filles avançaient d'un bon pas, comme si ni le froid ni ces gouttes fines et incessantes ne les incommodaient. Les jolies boucles blondes s'alourdissaient à vue d'œil, dégoulinant dans le dos de leurs mignonnes petites robes, mais pas une ne manifesta une quelconque impatience, un quelconque désir de s'abriter.

Ils continuèrent le long de Massachusetts Avenue, dépassant Colombus Avenue, s'enfonçant dans South End. Ensuite, ils bifurquèrent à gauche dans Tremont.

Merde, merde, mais qu'est-ce qu'elle foutait dans ce quartier, dans cette rue, véritable frontière de la *Combat Zone* ?

Elle serra autour d'elle le châle. Passer pour une vieille femme sans sac à main, ni rien de vendable. Un petit fantôme lamentable. Peut-être cela lui épargnerait-il les appétits prédateurs de ce coin, où même les taxis blindés d'épaisses vitres en Plexiglas ne se rendaient plus, où les flics tiraient à la courte paille avec des allumettes pour décider quel malchanceux s'y collerait ce soir-là.

L'homme ralentit et fouilla dans sa poche. Elle s'aplatit derrière une rangée de poubelles malodorantes et déjà explorées, comme en témoignaient les monceaux de détritus qui jonchaient le trottoir.

Ils pénétrèrent dans un petit immeuble, ou était-ce une sorte de hangar aménagé ? Gloria patienta quelques secondes et s'avança. Le rez-de-chaussée s'ouvrait sur la rue par une grande baie vitrée peinte de couleurs joyeuses. Des petites filles en tutus et chignons hauts avaient été approximativement rendues par le peintre. Elles souriaient. Certaines s'échauffaient, une jambe tendue au-dessus d'une barre. Celle qui faisait face aux passants, les bras levés en arc de cercle parfait au-dessus de sa tête, semblait avancer vers la rue, portée par le bout de ses pointes.

Tremont et Burke, se souvenir. Le cours de danse, *Iggy's Ballet Class*, se situait à la jonction de Tremont Street et de Burke Street.

Elle courut jusqu'à Colombus Avenue, ses mains en coupe soulevant et maintenant son ventre, et se jeta presque au-devant d'un taxi pour le contraindre à s'arrêter.

Il ne se détendit que lorsqu'elle régla le prix de la course, assorti d'un bon pourboire.

— Oh merci, madame.

Elle monta dans sa chambre, épuisée. Elle n'avait pas faim, du reste, quand avait-elle eu faim la dernière fois ? Ah, oui, *Mother Earth*, ce restaurant de Castro, il y avait si longtemps. Elle commanda pourtant le « panier de petits sandwichs sur son lit de crudités agrémenté d'un verre de cabernet et d'une tartine de brie français » et avala le tout, scrupuleusement, jusqu'à la dernière bouchée, sauf le fromage, sans trop savoir ce qu'elle mangeait, non que cela eût une quelconque importance.

Des calories, des glucides, protéines, lipides et puis des vitamines et sels minéraux. Bref, ce qu'il fallait ingérer pour survivre et faire vivre ce fœtus. Le reste était anecdotique.

Pourquoi Hugues lui avait-il envoyé ce billet ? Afin qu'elle rencontre l'homme, parce qu'il savait que le tueur ne pourrait pas s'empêcher d'assister à cette unique représentation d'une danseuse devant qui le monde s'inclinait. Bon, cela, c'était évident. Elle savait, était certaine qu'Hugues ferait tout pour la protéger, au-delà du reste. Alors pourquoi la mettre en première ligne ?

Elle s'installa dans l'obscurité sur le rebord de son lit, comme cette nuit, au MIT, il y avait si longtemps. Hugues de Barzan lui avait posé un problème, elle avait trouvé la solution, bêtement, mécaniquement. Il avait été ulcéré. Elle avait passé la nuit à chercher pourquoi son minuscule triomphe se teintait pour lui du goût déplaisant de l'échec. Et elle avait compris. La solution lui était venue sans qu'elle saisisse l'essence du problème.

Définir l'essence, elle seule porte la vérité.

Lorsque le petit matin s'infiltra par la fenêtre qu'elle n'avait pas pris la peine de masquer de ses lourds doubles rideaux, elle avait cerné l'essence. Elle éclata de rire et cria à la rivière qui coulait sans hâte :

— Pas cette fois ! J'ai encore gagné, Hugues. J'ai trouvé, je sais… Merci, monsieur.

Il était trop tôt pour appeler Little Bend, en comptant le décalage horaire, et elle s'en voulait de ne pas s'y être contrainte la veille. De toute façon, Jade ne lui aurait pas passé Clare. Elle affirmait que la jeune fille ne parvenait pas à assimiler le fait qu'une voix qu'elle entendait puisse être séparée d'elle par des milliers de kilomètres, que Gloria ne la rejoigne pas aussitôt.

Plus tard, car il y aurait un plus tard. Hugues l'avait calculé, et Hugues ne se trompait jamais. De cela, elle était certaine.

BOSTON, MASSACHUSETTS, 12 MARS.

Elle se leva, se doucha et commanda un petit-déjeuner équilibré comme une table de calories. Faire les choses comme il convient, en utilisant sa tête, parce que c'est à ça que sert une tête, à prendre le relais d'un corps déficient, muet, et qui s'en fout.

Elle mangea avec application puis installa son ordinateur portable sur le petit guéridon, branchant le modem sur la ligne téléphonique.

Le soleil se levait enfin, abandonnant des lambeaux de brume froide au-dessus des eaux vert sombre de la Charles. Le mouvement rapide de balancier de la queue-de-cheval d'une joggeuse retint son attention quelques instants. D'ici, elle ne pouvait pas distinguer ses traits. La femme portait un survêtement rouge et la clarté hésitante de ce début de jour irisait encore les larges bandes fluorescentes de ses tennis, accrochant l'œil. Un homme, un joggeur lui aussi, la dépassa en sens inverse. Ils se saluèrent d'un geste et d'un échange d'haleine blanche, sans un mot.

Elle tapa :

« James, je sais que tu seras furieux. Je suis au Boathouse Hotel, dans Vassar. J'ai reçu un billet pour le spectacle bostonien du Jin Xing Danse Theatre, de la part de Hugues. Je crois que j'ai rencontré le tueur. Il était accompagné de quatre toutes petites filles blondes. Elles grandiront, n'est-ce pas ? Il habite Tremont, à hauteur de Burke, au-dessus d'un cours de danse, *Iggy's Ballet Class*. J'y vais. Je n'ai pas l'intention d'entrer ni de le rencontrer, je ne suis pas idiote. Je ne fais pas le poids, ou plutôt si, beaucoup trop. Je veux juste faire le tour, peut-être revoir les enfants. Je me dis qu'Hugues ne m'enverrait pas là-bas, du moins intellectuellement, s'il craignait pour moi. Je t'aime. Gloria. »

Elle relut, hésita et appuya sur la touche « send ».

Voilà. Il ne restait plus qu'à... Elle ne savait quoi au juste.

Retourner là-bas, se dire que le jour n'est pas propice aux massacres, qu'il fait reculer la nécessité de la mort. Bref, toutes ces conneries d'animal diurne que la nuit effraie.

Curieusement, il lui manquait le bout du raisonnement. Et si tout se passait mal, s'il la voyait, la reconnaissait, s'il la tuait et si Hugues se plantait pour la première fois ?

Mais non, il ne la verrait pas. Elle passerait devant cette vitrine peinte. C'est tout. Hugues ne se planterait pas, c'était impossible.

Le taxi la déposa, non sans une certaine impatience, à la jonction de Burke et de Tremont. Elle avança vers le petit immeuble en brique rouge foncé. L'animation sans foule du quartier ce matin-là la rassurait. On y croisait des gens normaux, ceux qui évitaient la nuit tombée. Cette femme Noire qui traînait derrière elle un petit caddie à roulettes débordant de courses, cet homme entre deux âges qui remorquait sur son épaule une pile de chemises sous Cellophane, fraîchement sorties d'une teinturerie, deux jeunes filles, teintes du même roux vivace, qui riaient en marchant.

Gloria passa le long de la vitrine peinte, lentement. Des notes martelées sur un piano filtraient jusqu'à elle. Une femme sortit de l'immeuble, tenant la main d'une petite fille souriante aux cheveux remontés en chignon. Elles descendirent les quelques marches qui menaient à la rue. Elle entendit l'enfant déclarer à sa mère :

— Oh, c'était difficile aujourd'hui.

— Mais c'est beaucoup d'efforts, la danse, ma chérie.

Elle rebroussa chemin et dépassa à nouveau l'entrée. Elle consulta sa montre, il était dix heures et demie passées. Elle ne risquait pas grand-chose, le cours de danse bruissait d'activité.

Elle gravit les marches, hésitant encore, et poussa la lourde porte. La musique, cette musique répétitive dont on espère qu'elle induira le sens du rythme, lui parvint de la droite, c'est-à-dire de la salle donnant vers la rue. Une voix de femme criait :

— Mais plier, enfin, tu appelles ça « plier » ? C'est un peu mieux. Allez, jambe tendue, tendue la jambe. Allez, on lève son popotin ! Rentre le pouce, Lauren, je ne veux pas voir ce pouce pointer à l'extérieur, on dirait une saucisse de hot-dog !

Des petits rires légers saluèrent cette boutade.

Une porte au bout du couloir s'ouvrit. Gloria pensa à fuir, rejoindre la sécurité de la rue, mais resta là. La silhouette d'une petite fille blonde en tutu se découpa à contre-jour et s'avança vers elle. Lorsqu'elle ne fut plus qu'à trois mètres, elle la reconnut : Claudia, c'est comme cela qu'il l'avait appelée hier. Elle devait au moins protéger celle-là, fuir, quitter cet endroit.

Gloria se pencha et murmura :

— Il faut sortir d'ici, ma chérie. Ne fais pas de bruit. Je vais t'emmener.

Les sourcils de la petite fille se froncèrent et sa bouche se pinça. Elle était effrayée. Elle posa un index sur sa bouche en produisant un « chut » très doux et désigna d'un signe de tête la montée de l'escalier. Elle tendit sa menotte vers la femme et la tira légèrement vers le fond du couloir. Gloria redressa le torse et la suivit; le cœur lui remontait dans la gorge, et elle avait envie de vomir. Elle monta à la suite de l'enfant une première volée de marches, puis une seconde, jusqu'à un large palier. Elle était à bout de souffle et s'approcha d'une banquette en velours élimé, plaquée contre une haute fenêtre grillagée qui donnait sur une petite cour aveugle et sale.

— Attends, ma chérie, je reprends mon souffle. Par où sort-on ?

L'enfant la regardait sans sourire, sans que plus rien ne transparaisse sur son visage. Elle sauta vers l'unique porte du palier et appuya sur une sonnette. La porte en métal noir s'ouvrit. Il était là, devant elle.

Il murmura en souriant :

— Tu vois que c'est bien la dame d'hier, ma chérie. Elle est jolie n'est-ce pas, mais très curieuse, c'est mal. C'est bien, mon ange, tu peux aller t'amuser dans ma chambre.

Gloria se releva d'un bond. Elle tenta de se précipiter vers l'escalier. Courir, atteindre la rue, les gens. Hurler.

Quelque chose de très dur s'abattit sur sa nuque et elle se sentit partir vers l'avant.

Elle se redressa et colla son dos au mur avant d'allonger ses jambes devant elle. Une migraine lui faisait exploser la tempe droite, annonçant la nausée. La peur lui crispait le diaphragme et l'air était devenu visqueux, difficile à inhaler. La porte de l'appartement n'était pas très loin mais elle se sentait si lente. Il lui faudrait traîner son ventre comme cette fille. Égorgée. Ne pas afficher dans sa tête l'issue de cette bataille, en rester encore un peu à l'incertitude :

— Le *Concerto pour violon n° 3* en sol majeur de Mozart. On dirait que les cordes se disputent pour s'amuser.

— Ah, quel soulagement. Vous connaissez. Écoutons un peu, voulez-vous ? Il est inutile de crier, à ce propos. L'immeuble m'appartient. Il n'y a personne en dehors de nous. Si ce n'est mon cours de danse en bas, mais il est fermé à cette heure. Il est midi passé. Vous avez eu une sorte de petit malaise. Toutes les portes sont bouclées. C'est du reste pour cette raison que vous n'êtes ni entravée, ni bâillonnée.

Un calme inattendu, le calme qui précède l'exploitation d'un problème. A est coincé par B. A n'a aucun moyen de fuite. B veut sans doute tuer A. Si A décide de s'en sortir, A doit se débarrasser de B. Elle ne devait pas avoir peur, si, peut-être, en tout cas savoir que la peur n'était pas fondée. Hugues savait. Hugues avait jeté les bases de la solution, il les avait déduites, c'est donc qu'elles fonctionneraient.

— J'ai perdu l'habitude de crier ou de pleurer. Où sont les enfants ?

— Claudia habite ma suite, mais elle ne bougera pas. Les autres, je ne sais pas. Ailleurs. C'est grand, vous savez. Aimeriez-vous un verre de porto ? J'adore le porto. C'était le vin préféré de ma mère.

— Pourquoi pas ?

Il revint, ses pieds nus reposant à peine sur le plancher, tenant délicatement deux verres de cristal de Bohême ciselé, une cravache de cuir tressé coincée sous l'aisselle.

Gloria sentit une onde glacée dévaler dans son cerveau. Était-ce avec cela qu'il dressait ces petites filles ? Elle posa ses deux paumes à même le parquet et se contraignit à garder les paupières ouvertes.

— Buvons à cette vie si versatile. Vous ne dites rien ? Venez, asseyez-vous à mes côtés.

— Non, je réfléchis.

Il s'arrêta devant elle et se pencha pour lui tendre le verre.

— Vous ne voulez pas que je vous explique ?

— Quoi ? Je sais.

Évacuer la peur, la reléguer dans ce coin de cerveau dans lequel elle avait pris l'habitude d'entasser tous les souvenirs si sombres, si douloureux. La trouille qui occultait son esprit jusque-là céda. Vivre, il fallait vivre. Regarder, tout entendre, même ce qu'il ne disait pas, trouver la faille. Au pli serré de ses lèvres, elle sut qu'elle l'avait fâché, le privant d'un petit triomphe. Il se redressa.

— Allons, debout, un petit effort. Vous lui ressemblez.

— À qui ?

— À ma mère, la Perle unique, la plus grande danseuse de tous les temps.

— Maïa Plissetskaïa ?

Il crispa les lèvres de déplaisir :

— Non, pas elle, cette vache n'était qu'un ersatz. Brune comme un pruneau, athlétique, sans grâce. Vous êtes idiote ou quoi ? Peu importe, je sais. Ceux qui connaissent la danse ne s'y trompent pas. Levina Barenskaïa, le joyau. Ma mère. Vous savez, les hommes payaient pour lui baiser les pieds, les lécher. Ça l'amusait beaucoup. Je suis d'elle. Peu importe qui était mon père, prince, général ou paysan, je suis le fils d'un miracle.

Sa tête bascula vers l'arrière. Il souriait.

— Menue et blonde comme vous. Les mêmes yeux presque mauves, comme les miens, regardez…

Il s'agenouilla devant Gloria toujours assise sur le plancher, approcha d'elle son visage, et leurs lèvres se frôlèrent.

— … Elle devait être presque comme vous lorsqu'elle me portait. Je suis son seul enfant, vous saviez ? Elle a continué à danser très tard, presque jusqu'au bout. C'est une fille, n'est-ce pas ?

— Quoi ?

— Vous attendez une fille, c'est bien ça ?

— Je l'ignore.

— Moi, je sais, j'ai vu tant de ventres. Elle vous ressemblera sans doute. Je l'espère, quoique… Debout.

— Non.

— J'ai dit debout !

La cravache cingla l'air et s'abattit sur le bras de Gloria. Très doux, il précisa :

— Il faut apprendre à m'obéir. Les résistances sont vaines et surtout douloureuses.

— Ils vont venir. Le FBI.

— J'en doute, ils seraient déjà là.

Elle s'aida de la barre pour se soulever. Son épaule la meurtrissait, la douleur irradiait comme un gigantesque pouls autonome jusqu'à son anus.

— J'ai soif, s'il vous plaît.

— Plus tard, si vous êtes docile. Jambe tendue sur la barre et on plie.

— Je ne peux pas.

— Mais si, ma mère pouvait donc vous pouvez.

La peur puis la rage, elle hurla :

— Va te faire foutre !

La gifle partit, mauvaise, lui retournant la tête. Elle se mordit la lèvre et le goût du sang remonta dans sa gorge. Elle s'étrangla et toussa un crachat rouge qui dégoulina sur ses seins. Une autre gifle assenée à toutes forces la fit retomber à terre. Elle se plia au sol comme un fœtus, protégeant son ventre de ses genoux.

Les gifles qui partaient les unes derrière les autres. Il lui tirait les cheveux jusqu'à ce que sa nuque se bloque contre la ligne de ses épaules. Elle tombait. Il s'écroulait sur elle en riant. Car il s'amusait comme un fou, ce sale con. Elle serrait les dents pour ne pas hurler. Ça ne servait à rien qu'à le distraire encore plus. Elle avait appris à relâcher les muscles de son bas-ventre parce que se contracter de trouille faisait encore plus mal lorsqu'il la pénétrait de force. Elle commençait à avoir un gros ventre, comme aujourd'hui, mais à cette époque-là, elle avait treize ans.

Lui ne voulait pas la violer, elle ne l'intéressait pas de cette façon. Mais il allait la tuer. C'était écrit dans son regard. Que voulait-il ? Réfléchir. Descendre dans sa tête sans mièvrerie ni *a priori*, vite. Un témoin, un public exceptionnel. Résister à la panique et à la douleur. Elle savait comment faire, avant.

Elle se contorsionna pour parvenir à prendre appui sur ses genoux et se relever. Il la contemplait, un air agacé crispant son si beau visage, les bras croisés sur son torse parfaitement musclé. Elle essuya le filet de salive rosée qui s'échappait de sa bouche d'un revers de main et resta là, à quatre pattes, récupérant progressivement son souffle. Elle parvint à articuler :

— Le jeu ne durera pas très longtemps. Je sens que je suis au bout de ma résistance. De surcroît, je ne me bagarrerai pas pour rester en vie, je m'en fous. Je m'en fous depuis si longtemps. Tout ce qu'il fallait prévoir est réglé. Pour ma fille, mon autre fille. Le reste est anecdotique.

Il se précipita vers elle, la saisit pour la forcer à se mettre debout et hurla :

— Connasse, le jeu s'arrête quand je le décide ! Tu entends, espèce de gourde ?

Elle éclata de rire, si épuisée que le son lui râpait la gorge :

— Mais je m'en fous, vous ne voyez pas à quel

point cela m'est indifférent ? Finalement, c'est une autre solution du même problème.

Il la lâcha si brutalement qu'elle partit vers l'arrière et que son dos et son crâne percutèrent le mur. Le choc du béton cru résonna jusque dans son sternum.

Elle ferma les yeux sous la douleur et murmura :

— Je ne crois pas à votre génie. C'est du pipeau, vous êtes un raté. Un danseur de seconde classe. De toute façon, vous êtes déjà trop vieux.

Une autre gifle la déséquilibra. Elle se retint à la barre pour ne pas s'effondrer. Une contraction si violente qu'elle faillit crier, tout son ventre qui se serrait. Le bébé, elle perdait le bébé. Une rage folle inonda son cerveau, meurtrière. Ce taré n'allait pas faire mourir ce bébé dont elle avait fini par accepter l'existence. Qu'il crève, comme l'autre. Finalement, il ne lui faisait pas très peur. Il était un paramètre manipulable intellectuellement, une inconnue dont il fallait trouver l'équation. Mais ce désordre organique qu'elle sentait au fond d'elle la paniquait parce qu'elle n'avait aucune prise dessus. Elle s'assit, les jambes repliées sous elle, dans l'espoir de bloquer elle ne savait trop quoi, et déclara d'un ton mesuré :

— Je n'ai pas eu le bonheur d'assister à un spectacle de votre mère, par contre j'ai vu un des derniers ballets de Maïa Plissetskaïa, celle que vous appelez la vache. C'est une de mes plus grandes émotions avec le spectacle de Jin Xing.

— Ce travelo ?

— Cette fabuleuse danseuse.

— Je vais vous montrer ce qu'est le génie.

Il ôta son sweat-shirt. Il possédait ce corps des danseurs classiques, si parfaits qu'ils ne semblent plus faits de chair et de sang. Pieds nus, en pantalon noir moulant, il s'échauffa. Ces simples mouvements furent suffisants pour convaincre Gloria que oui, elle allait devenir le témoin d'un miracle d'union entre l'air et la pesanteur.

Il se dirigea vers la chaîne laser et déclara :

— Je change. Il nous faut quelque chose d'encore plus gai, n'est-ce pas ? Scarlatti, les sonates pour piano. Ma mère les adorait.

Il rejoignit rapidement le centre de l'immense pièce. Et un autre prodige commença. Il avait su courtiser la grâce sans poids d'une femme et la puissance musculaire d'un homme. Son corps se pliait, se tendait, montait, défiant les lois de la physique et de la logique, pour retomber, comme incidemment, et repartir plus haut, plus parfait. Un autre Jin Xing, sans changement de sexe. Elle pouvait nommer en le regardant tous les plus grands : Barychnikov, Noureev, Dupont, Petit et Pina Bausch. Tous. Lorsqu'il retomba, épuisé, il haletait, elle aussi.

Il resta là, quelques secondes, la main plaquée sur son cœur, puis articula difficilement :

— Alors ?

— C'est bien, je le pense vraiment. Encore quelques années d'efforts et vous monterez sans doute sur une scène du Midwest.

Il rit, toujours assis, le dos de sa main contre sa bouche.

— Oui, je comprends. Vous voulez tenir le jeu, c'est cela. M'humilier, je réagis et la cavalerie arrive ? Ça ne m'amuse plus. Il faut en finir maintenant. Vous êtes moins distrayante que je ne le croyais.

Il se leva. La sueur ruisselait sur son torse et son souffle sortait anarchiquement de sa gorge. Il se dirigea vers une jolie commode 1920 en bois roux et ouvrit un tiroir.

Oui, maintenant. Viens maintenant.

Lorsqu'il se tourna à nouveau vers elle, la lame du rasoir brillait dans sa main.

— Ça ne sera pas long, n'aie pas peur.

Il se précipita vers elle. Le bruit de ses pieds nus produisait un son étrange et étouffé sur les lattes du plancher.

La trouille lui coupa le souffle, elle se coucha sur le dos et attendit. Le mouvement d'air qui le précédait de quelques dixièmes de secondes lui frôla le visage. Remonter les jambes, les crisper. Ses muscles se détendirent de toutes ses forces. Un gémissement. Elle ouvrit les yeux, bascula sur le côté en cramponnant son ventre et se mit à genoux. Il geignait bouche ouverte, s'aidant de sa main pour se remettre debout. Le rasoir était entre eux. Gloria l'attrapa. Quelque chose de très rapide, d'indolore, fendit la peau de sa paume. Rien à foutre. Elle serra la lame et la projeta vers le haut de la cuisse du Danseur. L'aine, il passe là une grosse artère, une artère sans pitié. Elle enfonça la lame, taillada, s'acharnant sur le tissu noir qu'elle lacérait et qui se teintait de rouge sombre. Qu'est-ce que c'était ce truc qui lui explosait les tympans, couvrant la musique ? Elle hurlait. Incapable de faire taire ce son qui sortait d'elle.

Il tomba à genoux devant elle, ses yeux rivés aux siens. Il tenta de comprimer le flot artériel qui le vidait de son sang à chaque battement de cœur. Il tendit une main vernie de pourpre vers son visage, elle ne recula pas. Il caressa sa joue avant de s'affaisser vers le plancher :

— Petite sœur, petite sœur, je crois que c'est mieux comme cela. Il faut que tu trouves Vlad. Tue-le. C'est lui le monstre. Moi, je voulais juste mon rêve. Dors bien, maintenant.

Il s'écroula sur elle, sans hâte, sans hargne. Si doux, presque léger. Elle repoussa le corps sans vie et souffla par la bouche. Les cheveux mi-longs du Danseur baignaient dans une large flaque de sang.

Une autre contraction lui électrisa le bassin. Elle passa sa main gauche sous sa robe, dans son slip et la plaqua contre son vagin. Du sang. Celui du Danseur, le sien, ou celui du bébé ?

Calme. Elle l'avait tué. C'était la seule solution possible. Bouger aussi peu que possible. Appeler. Ils vont venir, ils vont me sauver, le bébé aussi. Il est mort, il n'y avait pas d'alternative. Du calme. Les notes gracieuses et rapides de la sonate étaient enveloppées du silence de cet immense espace, et elle songea stupidement que jamais plus elle ne parviendrait à retrouver leur perfection du moment. Une sensation d'effroyable solitude lui fit remonter un liquide salé et amer dans la bouche. La panique lui crispait les muscles. Calme. Plaquer fort la main en sang sur sa cuisse pour faire garrot. Avancer doucement vers le téléphone. Respirer en cadence, ne surtout pas forcer. Pas tout à fait six mois, c'est possible, ils peuvent récupérer les bébés, mais c'est si tôt. Tenir encore.

Elle composa le numéro de Cagney à la base. La septième sonnerie la balança vers le standard.

— Je cherche à joindre James Irwin Cagney, c'est une urgence vitale, madame.

— Je suis désolée, il est en mission extérieure. Vous avez son numéro de portable ?

— Oui. Je l'appelle, merci.

Elle tomba sur le message enregistré. La voix de James invitait son correspondant à laisser ses coordonnées.

Elle sanglota :

— Je t'en prie, viens me chercher, fais quelque chose ! J'ai tué ce type, il y a du sang partout. J'ai peur, j'ai si peur. Le bébé va mourir, comme tous ces autres. Je ne veux pas. Je saigne. Je crois que c'est une hémorragie.

Affolée, elle rappela la base, lorsque la même femme lui répondit, elle cria :

— Madame, je suis blessée, et je crois que je perds mon bébé ! Je viens de tuer un homme. Appelez quelqu'un de l'unité, je vous en supplie. Je m'appelle Gloria Parker-Simmons, ils savent qui je suis.

Elle ne reconnut pas tout de suite la voix saccadée de peur qui lui répondait. Jude Morris.

— Gloria ? Qu'est-ce qui se passe ? Bordel, où êtes-vous ?

Elle tenta de retrouver un semblant de maîtrise, mais les claquements nerveux de ses mâchoires la rendaient presque inintelligible :

— Dans Tremont, juste à côté d'un restaurant chinois. Au 1639. Il y a un cours de danse au rez-de-chaussée. À la jonction de Burke Street. Excusez-moi, je suis en pleine crise de nerfs. Je n'arrive plus à me contrôler. Je suis avec… enfin, je l'ai tué. Il y a du sang partout. Je me suis coupé la main. Je crois que je vais perdre mon bébé. Monsieur Morris, faites quelque chose. Vite !

— Gloria ? Gloria, calmez-vous. Tout va aller maintenant, je suis là. J'appelle le Boston PD, ils seront sur place dans quelques minutes avec une ambulance. J'arrive. Je saute dans un avion militaire, j'arrive dans un peu plus d'une heure. Vous restez assise. Respirez doucement par la bouche, gentil. C'est fini, je suis là.

Elle éclata en larmes et bafouilla :

— Oui. Vite, hein ?

— J'arrive, Gloria. C'est fini, tu m'entends. Plus rien de mal ne peut arriver.

Elle resta assise par terre, les jambes étalées devant elle, tournant le dos au regard désolé du Danseur mort, à cette nappe de sang qui brunissait déjà en coagulant peu à peu. Un pouce dans la bouche, le combiné posé à côté de ses jambes, elle commença à ânonner : « Il était trois petits chatons qui avaient perdu leurs mitaines. » Durant ce qui lui sembla des heures, elle reprit les mêmes couplets, encore et encore. Elle aimait bien le passage où la maman chatte disait : « Gentils petits chatons, vous aurez de la crème. » Mais, ça, c'était à la fin, au moment où les chatons avaient retrouvé leurs mitaines.

Des sirènes, des halos bleus et rouges qui montaient par saccades jusqu'à l'immense baie vitrée. Une cavalcade dans les escaliers. Des coups de boutoir contre la lourde porte blindée. « … allèrent trouver leur mère. Maman nous avons perdu nos mitaines. »

Une jeune femme aux cheveux gris, tirés en queue-de-cheval, se précipita vers elle.

— Madame ? Madame, ça va ?

— Non. Non, vraiment pas.

La femme s'installa par terre à côté d'elle.

— Je m'appelle Squirrel, vous voulez un verre d'eau ?

Gloria sourit :

— C'est joli comme surnom, c'est mignon les écureuils. Oui, je boirais bien un verre d'eau.

La jeune femme fit un signe et Gloria avala le contenu du verre que lui tendait un autre policier.

— Je suis couverte de sang. Je ne sais plus si c'est le mien ou le sien. Je crois que l'entaille de ma main est profonde. Où sont les petites filles, elles sont quatre ? Celle qui se nomme Claudia est à côté. Peut-être qu'il était malade ? Je veux dire son sang.

— On va vérifier. L'ambulance est en bas. Ils vous attendent au Brigham and Women. Ils sont prévenus et tout est prêt, même une salle d'opération. On va chercher les enfants. Bon, on se lève très doucement. Là, regardez, on a une civière. Ces messieurs vont vous descendre.

— Les petites filles, elles sont quatre, où sont-elles ?

— On les cherche, on va les trouver, je vous assure. Ne vous inquiétez pas de cela en ce moment.

Squirrel aida Gloria en la soulevant par les aisselles. Un filet de sang dégoulina le long de l'intérieur de sa cuisse, jusqu'à sa cheville, traçant ensuite le dessus de son pied pour s'infiltrer entre ses orteils nus.

La panique à nouveau. Gloria plaqua sa main sur sa bouche et ferma les yeux.

— Là, chut, tout ira bien. Je viens avec vous, je ne vous lâche pas. Vous n'allez pas mourir et le bébé non plus. Cramponnez-vous, madame.

Morris raccrocha. Priorité absolue, avait-il déclaré au pilote de l'avion de chasse. Peut-être serait-il viré pour cela, rien à foutre. Il ne préviendrait pas Cagney, ni Ringwood, ni même Harper. Il allait enfin pouvoir prouver à Gloria que lui seul pouvait la tirer hors de ses terreurs. Parce qu'il les connaissait, il avait tout compris. Il lui avait fallu du temps parce qu'il était lent, et c'était bien fait pour lui, il en avait pris plein la gueule, mais maintenant il savait. Lui seul avait la force de se battre pour elle jusqu'au bout, même dans le mensonge et l'escroquerie. Cet enfant qu'elle portait, c'était le sien, celui qu'il aurait dû avoir, le seul qu'il voulût. Rien à cirer des gènes de Cagney.

BRIGHAM AND WOMEN HOSPITAL, BOSTON, MASSACHUSETTS, 12 MARS.

Elle flottait, mais elle avait très mal. Curieux, elle n'avait pas souffert avant. L'odeur lui disait qu'elle était à l'hôpital. Des voix s'entrecroisaient au-dessus d'elle, pas assez proches pour qu'elle s'y accroche et parvienne à sortir de cette espèce de semi-coma dans lequel elle baignait.

Un truc qui blessait un peu. Une voix de femme qui déclarait avec douceur :

— Voilà, mon petit, ça va aller mieux dans dix minutes. Détendez-vous. La blessure était profonde.

La douleur s'espaça comme les mots que l'on prononce juste avant de s'endormir et qui s'étirent pour rejoindre un demi-rêve. Déjà dix minutes ?

Qu'est-ce qui la piquait, lui tirait la peau ? Elle fit un geste malhabile pour atteindre son bras gauche et ouvrit brutalement les yeux sous la douleur, sans rien percevoir d'autre d'un éclat de lumière trop vive. Une voix, cette voix d'homme qui calmait, qui disait que plus rien de mal ne pouvait lui arriver, ordonna :

— Laisse, chut. C'est une intraveineuse. Ton autre main est protégée d'une sorte d'attelle, ils ont dû poser des points de suture. Dors, je t'aime.

Quelque chose caressa son front et elle s'endormit tout à fait.

Cagney la contempla quelques instants. Il était épuisé par sa course-poursuite pour parvenir à Boston au plus court. Épuisé par sa rage lorsqu'il avait découvert son premier message en rentrant chez lui, puis ce mail dans les mots duquel il avait détecté une certaine fascination pour le suicide. Il avait hurlé seul dans son bureau contre ce cerveau qui la rendait totalement incontrôlable, et contre cet abruti de Barzan et ses projections intellectuelles. La vie n'est pas des mathématiques. La vie vit, saigne, crie, se débat, elle aime, elle déteste, elle peut même tuer, puis elle meurt. C'est aussi complexe que cela. Épuisé par sa trouille qui ne l'avait lâché que lorsqu'il l'avait découverte, allongée sur ce lit d'hôpital. Vivante.

Et maintenant, il attendait. Il attendait Morris pour le dernier acte. Le détective Gordon qui avait escorté Gloria jusqu'aux urgences du Brigham and Women, lui parlant comme à une bonne copine et la secouant afin qu'elle ne s'évanouisse pas, lui avait annoncé l'arrivée de son ancien adjoint. D'accord, il avait vite et bien réagi alors que Cagney se trouvait dans l'avion pour Boston, sans possibilité de consulter son portable.

La porte de la chambre fut poussée et Cagney se redressa dans sa chaise, prêt à l'affrontement.

— Glover ?

— Chut, elle est là ?

— Oui, elle dort. Ils viennent de lui injecter une dose d'antalgique et de calmants.

— Ça va, elle ? Et le bébé ?

— Tout le monde va bien, enfin autant que faire se

peut. C'était une hémorragie sans gravité, selon le chirurgien. Par contre, la lame du rasoir avait pénétré en profondeur dans sa paume. *A priori*, il n'y aura pas de séquelles, mais elle devrait déguster durant quelques jours. Elle était en pleine crise de nerfs lorsque le Boston PD est intervenu. Et chez Gloria, ça prend des proportions cataclysmiques, parce qu'elle ne sait pas parler.

— Y a de quoi. J'ai vu Bob Da Costa. Dites-moi, elle se défend, la petite dame.

Cagney lui rendit son sourire, sentant que le jeune homme tentait d'alléger son humeur, et déclara :

— Lionel, mon métier, c'est l'esprit humain. Eh bien, je confesse que je ne comprends pas grand-chose à cette femme.

Soudain sérieux, Glover rétorqua :

— Et alors ? C'est grave ? Moi, je ne crois pas.

— Vous êtes un sage.

— Non, mais je me dis que ce n'est pas très important si on ne trouve pas le mode d'emploi dans l'emballage, ça vaut pour nous tous, d'ailleurs. On comprend ou pas. On s'en fout pourvu que ça explose la vie de lumière.

— C'est bien ce que je dis : vous êtes un sage. (Cagney hésita puis poursuivit :) J'attends quelqu'un d'une minute à l'autre. La rencontre ne devrait pas être plaisante.

— Jude Morris.

— En personne.

— En ce cas, vous me retrouverez à la cafétéria. Je meurs de faim.

Cagney patienta, sans hâte, certain que la conclusion était inévitable, l'espérant irréversible. Il n'avait pas songé à acheter un journal ou un magazine. Peu importait. La phrase de Zhang lui revint en mémoire : le gros problème des Occidentaux, c'est qu'ils veulent tout faire en même temps, ou quelque chose d'approchant. Alors pourquoi ne pas s'offrir le luxe de ne faire qu'attendre en attendant ? Ne pas chercher à anticiper ce qui allait se passer sous peu, ce qu'il dirait, répondrait, ce que Morris ne manquerait pas de lui balancer au visage. Quelques heures plus tôt, dans cet avion, il avait couru contre le temps, contre la mort. Il s'était répété jusqu'à la migraine les mêmes promesses, comme des exorcismes : si elle ne meurt pas, plus rien ne me paraîtra identique, si le bébé vit, ce sera un signe qu'il faut passer à autre chose, si et si. Ils sont rares et précieux, ces instants où nous prenons toute la mesure de notre démesure, où brusquement les choses se dégonflent de la fausse importance que nous leur accordons. Et Cagney venait de décider que cette fois-ci, il n'aurait pas la mémoire confortable.

— Vous êtes déjà arrivé ?

Cagney leva le regard, surpris. Il n'avait pas entendu Jude Morris pénétrer dans la chambre. Il se leva et proposa :

— Sortons, Morris, elle dort. Elle est tirée d'affaire, le bébé aussi.

— Je sais, j'ai eu le Boston PD.

Ils avancèrent sans un mot le long du couloir gris clair, chacun fixant le linoléum rutilant qui recouvrait le sol.

Morris déclara d'un coup :

— C'est moi qu'elle a appelé.

— Non, c'est la standardiste qui a basculé son appel sur votre ligne. J'étais déjà dans l'avion.

Cagney s'en voulut de cette inepte démonstration. En étaient-ils à additionner les points ? Il ajouta précipitamment :

— Peu importe, du reste.

— Ouais, c'est facile à dire, siffla Morris entre ses dents serrées.

Ils parvinrent à hauteur des ascenseurs et durent se

regarder pour la première fois depuis le début de leur échange. Une femme accompagnée d'un homme très âgé sortit de la cabine du milieu et leur jeta un œil soupçonneux.

Morris fit un effort pour ne pas hurler et sa voix lui sembla bizarrement heurtée :

— Vous m'avez viré à cause de Gloria. Vous aviez peur que je vous la prenne.

Une étrange pitié mêlée de consternation fit baisser les yeux à Cagney :

— Vous n'avez rien compris, Morris. Personne ne prend Gloria, personne ne se l'attribue. Elle est aliénée, sans lien véritable avec le réel, vous l'ignoriez ? Elle n'a aucune idée des besoins des autres parce qu'elle n'en a rien à foutre. Si elle me quittait, si elle partait demain, je ne saurais pas quoi faire, je ne comprendrais pas pourquoi. Vous n'y êtes pas du tout.

— Je peux, s'il le faut.

— J'en doute, Morris. Il faut parvenir, comme moi, à l'âge des dernières urgences.

Lorsque Cagney leva à nouveau le regard, le visage de Morris était défait, d'une pâleur presque cireuse, et il se cramponnait à sa hargne pour ne pas pleurer. Cagney ajouta avec une sorte de tendresse :

— Vous devriez partir, Morris. Il y a des claques dont on se remet très mal. Mieux vaut ne pas les provoquer.

Jude Morris appuya sur le bouton d'appel et lança, comme pour se convaincre :

— Je lui téléphonerai dans deux ou trois jours. Elle sera toujours à l'hôpital. Il faut que… enfin…

— Elle ne vous répondra pas, Morris.

— Et pourquoi ?

— Parce qu'elle n'en verra pas l'utilité. Ayez un peu de compassion pour votre femme Virginia, Morris, à défaut d'en être capable pour vous.

BOSTON POLICE DEPARTMENT, BOSTON, MASSACHUSETTS, 13 MARS.

Cagney fixa l'homme qui se tenait assis en face de lui.

— Afin de protéger vos droits civiques, cet interrogatoire sera enregistré sur bande vidéo. On vous a lu les droits en question à plusieurs reprises, et vous avez compris que vous pouviez rester silencieux et refuser de répondre aux questions. Vous savez que tout ce que vous direz pourra être utilisé contre vous ?

— Oui, monsieur.

— Lorsque nous vous avons précisé que vous pouviez requérir la présence d'un avocat, vous nous avez répondu que vous n'en connaissiez pas. Un avocat a donc été commis d'office pour vous défendre. Vous l'avez rencontré ce matin, et c'est à votre demande qu'il n'est pas présent à cet interrogatoire. Est-ce exact ?

— Tout est exact, monsieur.

Stanley Nally répondait en fixant la caméra vidéo comme s'il participait à un jeu télévisé. Il croisait et décroisait nerveusement les mains, et la sueur trempait le col de sa chemise en jean réglementaire. Son exemplaire courtoisie lui avait été soufflée par le Boston PD.

Lorsque Bob Da Costa, Elizabeth-Ann Gordon et Lionel Glover avaient déboulé la nuit précédente au *Pussy Galore*, munis d'un mandat d'arrestation délivré par le juge, Stanley Nally avait tenté de fuir. Glover s'était élancé, mais Bob n'avait eu qu'à tendre la jambe pour faire tomber le voyou à plat ventre.

Une fois dans la voiture, en réponse aux compliments de ses deux collègues, Bob avait conclu d'un petit air satisfait :

— Quand on devient vieux, faut devenir plus malin.

Une fois au commissariat central, dans la même petite salle d'interrogatoire qu'aujourd'hui, Stanley Nally leur avait d'abord sorti le grand jeu, balançant des noms d'avocats, mélangeant insultes et menaces. Glover retrouvait les bonnes vieilles poussées d'adrénaline de flic, et s'étonnait qu'elles lui aient tant manqué.

Il avait lâché, avec une jovialité féroce qui avait impressionné leur prise :

— Écoute, rigolo ! Tu vois, pas de bande, pas d'avocat, juste toi et nous. Alors, c'est simple, moi, c'est le FBI. Ça veut dire quoi pour toi ? Beaucoup d'emmerdes en perspective : crime fédéral, Interpol sur le coup, j'en passe et des meilleures. D'un autre côté, nous avons sorti ton casier. Long, très long, une liste presque exhaustive et répétitive de tous les délits possibles, pas mal de crimes aussi, mais jamais de meurtre, ou alors c'est que t'étais futé. En tout, cinq ans de taule. Mais là, tu vois, bonhomme, on parle d'au moins cinq gamines, torturées, camées, vendues, abattues. Un petit garçon aussi. Plus tout ce qu'on va découvrir. En d'autres termes, tu écopes d'au moins trois fois la perpète en haute sécurité. Sauf si on arrive, et crois-moi que je vais m'y atteler, à te faire juger dans un autre État qui pratique toujours la peine de mort.

La menace avait porté, et la morgue de Nally fondu. Il avait la trouille, ça se sentait à l'odeur désagréable qui exsudait de sa peau grise. Il avait accepté de négocier une complicité simple contre un témoignage complet. Rien à foutre de ces tarés de l'Est, des dingues, voilà ce qu'ils étaient. Lui avait fait cela pour du fric, beaucoup, et ça lui paraissait presque une absolution, ou du moins une justification. Après tout, tout le monde aime l'argent, non ?

Glover l'avait félicité pour son intelligence, mais lorsqu'il était sorti, après avoir refermé la porte de la petite pièce, il avait démoli un haut cendrier cylindrique à coups de pied. Da Costa était intervenu :

— Tu te calmes, mon gars ! Tu ne changeras pas le monde. Tu es là pour veiller à ce qu'il ne tourne pas trop au carnage.

— Je leur chie dessus.

— Je sais. Comme nous tous. Ça va, t'as bousillé ta pompe et un matériel de l'État. C'est pas la peine de te péter la cheville en prime.

Lorsque Lionel Glover était arrivé dans le petit appartement que louait Squirrel, il avait été incapable de prononcer un mot. Il l'avait doucement poussée vers le lit. Juste un câlin, faire un câlin dans ses ailes et oublier un peu.

— Vous êtes M. Stanley Nally, né le 4 juin 1952 à Denver dans le Colorado, profession videur de boîte de nuit, demeurant au 14, Pearl Street à Boston, c'est bien cela ? reprit Cagney.

— En effet, monsieur.

— Vous savez, monsieur Nally, que vous êtes suspect de proxénétisme aggravé sur mineurs, avec meurtres ?

— Oui, monsieur, mais c'est faux.

— Pouvez-vous vous expliquer ?

Nally hésita, se remémorant les conseils de son avocat, qui n'avait qu'une hâte, rentrer au plus vite à son étude où des affaires plus lucratives l'attendaient. Mais il lui avait quand même bien expliqué les choses. Nally se lança :

— Je ne prétendrai pas que j'ignorais qu'il s'agissait de prostitution. Mais ce n'est pas un crime, n'est-ce pas, c'est ce que m'a dit mon avocat.

— Non, mais le proxénétisme aggravé en est un.

— J'ai jamais fait le proxénète. J'étais salarié. Je veillais sur les filles dans la boîte, qu'elles ne se fassent pas tabasser par un client.

Cagney n'en croyait pas un mot. Peu importait. Il avait envie de lui défoncer sa gueule de lâche tortionnaire. Peu importait. Ce qui importait, c'était coincer l'autre. Et si celui-ci pensait qu'il s'en tirerait en lâchant les autres, il se plantait. Cagney n'avait aucune intention d'honorer un marché qu'il n'avait pas passé. Gloria déteignait sur lui. Le mensonge se légitime s'il permet d'atteindre la meilleure solution.

— Je vois. Saviez-vous que ces jeunes filles, je devrais dire enfants, étaient de jeunes mineures ?

La bande serait utilisée au procès. Il fallait insister sur des termes crus, « enfant », « torture », « drogue » pour frapper l'esprit des jurés.

— Certainement pas, monsieur.

— Saviez-vous qu'elles étaient chroniquement intoxiquées par des substances illicites, je veux dire droguées, de façon à garantir leur docilité ?

— Non, remarquez, parfois, j'ai eu des doutes, elles n'avaient pas des réactions normales.

Futé, l'avocat, songea Cagney. Avouer le minimum pour rester crédible devant un jury.

— Saviez-vous qu'elles étaient battues, torturées ainsi qu'en témoignent les autopsies ?

— Ah, non, j'aurais pas toléré !

— Saviez-vous qu'on les mettait enceintes pour augmenter leur valeur marchande ?

— C'est dégueulasse. Je savais pas !

Cagney eut la vision de ce ventre si doux sur lequel il posait la joue lorsqu'elle dormait pour percevoir quelques bruits aquatiques, quelques mouvements étranges et émouvants, et se leva afin de dissiper l'envie presque intenable de cogner ce tordu qui pensait s'en sortir.

— Vous êtes-vous demandé, monsieur Nally, pourquoi certaines de ces très jeunes filles disparaissaient subitement ?

— Oui. Franchement, oui. Il y avait cette jeune fille, Tania, elle était gentille. Et d'un coup, on l'a plus revue.

Cagney le fixa et il rougit. Connard, tu étais là, n'est-ce pas, lorsqu'ils ont noyé Tania ? Je vais te clouer la peau des couilles, même si c'est la dernière chose que je fais ! Il reprit du même ton égal :

— En effet. Donc, vous nous dites, monsieur Nally, que vous ignoriez que certaines de ces enfants ont été brutalement égorgées ou noyées ?

— Je ne le savais pas, c'est un fait et c'est la vérité.

— Mais bien sûr, vous connaissez la personne responsable de toutes ces monstruosités, votre employeur, c'est bien cela ?

— Oui. Vlad. Vladimir Norkoieff. Le *Pussy Galore* lui appartient. Il habite 428, Massachusetts Avenue, un hôtel particulier. Une de ces vieilles demeures bostoniennes en brique rouge. Immense.

— C'est un Russe ?

— Je ne sais pas, je ne suis même pas certain qu'il s'agisse de son vrai nom. Et puis, il y a Iggy, le Danseur, c'est un dingue, c'était le tueur.

— Il est mort.

— Ah, bon… (Nally sourit soudain.) Ça me soulage. Ce type me foutait vraiment la trouille. J'avais l'impression qu'il n'était pas humain. Invincible, quoi. Mais faites gaffe, l'autre gros, Vlad, c'est vraiment un fondu.

— Merci de vous inquiéter pour nous, monsieur Nally. Attention, je vous rappelle, monsieur Nally, que ceci est enregistré et constitue une preuve. Cette bande sera utilisée devant la cour. Affirmez-vous que vous n'êtes sous l'influence d'aucune contrainte de notre part ?

— Non, aucune contrainte, on m'a même donné un paquet de cigarettes et des sandwichs et un café, un peu avant. Et je sais que cette bande sert de preuve.

— Affirmez-vous, monsieur Nally, que ce Vladimir Norkoieff, avec la complicité d'Iggy, est l'instigateur d'un réseau de prostitution de mineurs ?

— Oui, je l'affirme.

— Affirmez-vous que ces deux hommes ont utilisé de la drogue, des tortures et ont kidnappé les enfants de ces très jeunes filles pour les faire obéir lorsqu'elles n'étaient pas contraintes d'avorter dans des conditions meurtrières ?

— Oui, c'est cela. Enfin, dans le cas de Vlad, j'en suis certain.

— Affirmez-vous, monsieur Nally, que ces deux hommes ont égorgé, noyé, bref éliminé physiquement certaines de ces jeunes filles ?

— Vlad, je ne sais pas. C'est lui qui ordonnait et Iggy exécutait les ordres.

— Je vous remercie, monsieur Nally. Votre témoignage nous sera utile.

Se tournant vers la caméra, Cagney conclut en regardant sa montre :

— Il est dix-neuf heures douze à ma montre. Nous n'avons eu recours qu'à une seule cassette, sans interruption.

Il éteignit le magnétoscope. Nally se leva d'un bond :

— J'ai été bon, hein, ça faisait sérieux ?

Il fallut toute son énergie à Cagney pour ne pas lui balancer le coup de poing qu'il retenait depuis le début de leur entrevue. Il se contenta d'un :

— En effet.

— Bon, on est clairs sur ce qu'ils m'ont promis, vos collègues du Boston PD ?

— Ce sont des gens fiables.

— Ça roule pour moi. Bon, ben, salut. On se reverra sans doute au procès. Vous êtes sûr que cette grosse verrue de Vlad s'en sortira pas, parce qu'il me ferait la peau !

— Je doute qu'il s'en sorte avant très très longtemps, dans un cercueil sans doute.

— Ça me va.

BOSTON, MASSACHUSETTS, NUIT DU 13 AU 14 MARS.

Un des techniciens du Boston PD désactiva l'alarme. Deux autres forcèrent la lourde porte maniérée de l'hôtel particulier de Massachusetts Avenue.

L'immense hall de réception baignait dans une sorte de semi-clarté dispensée par des halogènes habilement dissimulés. Pompeux et très onéreux. La décoration flirtait avec une certaine démesure kitch qui ne manquait pas de saveur. Des torses de nymphes en bronze soutenaient des flambeaux électriques qui semaient l'escalier de marbre de frêles indications lumineuses. Un paresseux lion d'albâtre, gueule ouverte sur des crocs lisses, gardait l'accès aux premières marches. Un guéridon d'ébène incrusté de nacre portait avec nonchalance une profusion de lys dans un vase de porcelaine.

Glover tendit un index vers l'étage et Cagney acquiesça d'un signe de tête. Ils gravirent prudemment les marches, leurs pieds s'enfonçant dans une laine épaisse d'un blanc déconcertant.

Ils parvinrent sur le palier. Trois portes s'y ouvraient, séparées de fresques néo-flamboyantes : nymphe très découverte avec satyre hilare, bergère rose et renversée avec berger déculotté, Cupidon repu la bouche écrasée sur un sein amusé, vieux Pan entouré d'enfants rieuses et peu farouches.

Glover poussa doucement une première porte, mais l'obscurité qu'il y découvrit lui fit hocher la tête en signe d'échec.

Ils entrebâillèrent la deuxième, arme au poing. Un flot de lumière orangée, du blues. Ils avancèrent doucement et restèrent là, bouche bée, quelques secondes. Une énorme masse de graisse, velue de longs poils raides et bruns, levait à deux mains son ventre pour présenter un gros sexe mou devant une bouche d'enfant qui ressemblait à un cœur. Une autre adolescente le chevauchait, à genoux au-dessus de son menton. Il riait, tendant sa grosse langue baveuse vers le sexe blond. Une troisième tétait des aréoles qui disparaissaient sous les plis de ses longues mamelles pendantes.

Glover murmura, le cœur au bord des lèvres :

— Ah, putain !

— FBI ! hurla Cagney. Vous êtes en état d'arrestation, nous allons vous lire vos droits !

La scène se figea, comme la pellicule usée d'un mauvais film porno.

Les gamines s'égaillèrent. La grosse larve demeura seule, avachie sur son lit.

— Vous pénétrez chez moi.

— Tu nous lâches, tordu ! rugit Glover, profitant de l'absence de témoin, de bande, d'avocat. On a un mandat et un témoignage béton de ton homme de main.

— Iggy ?

Cagney répondit :

— Non, celui-là est mort, un de moins. Une bien vilaine mort, d'ailleurs.

Vlad beugla :

— Connard, je te crois pas !

— Sa danse du cygne, sur une ravissante sonate de Scarlatti. Bien sûr, il a souffert. Ah, *c'est la vie* !

Vlad s'effondra et gémit :

— Oh non, non, pas Iggy ! C'était mon fils ! Celui que j'ai eu avec la Divine, enfin je crois. Non, je suis sûr.

Il partit d'un rire hystérique et haleta :

— C'était une salope, une garce finie ! Elle nous menait tous par la queue ! Ah, mais quel miracle.

Soudain geignard, il ajouta :

— Vous êtes des porcs d'Américains, vous ne comprenez rien à rien.

Cagney avança vers le grand lit défait et précisa plus fort :

— Levez-vous, habillez-vous et suivez-nous.

Vlad éructa :

— Impérialistes de merde qui ne savent pas reconnaître leur tête de leur cul ! Mais quels donneurs de leçons !

— J'attends. Remarquez, si vous tardez trop, nous pouvons aussi vous embarquer nu. Pas trop ragoûtant !

— Petit nain, minuscule petit nain. Tu gagnes combien par mois, le nain ? Tu baises ta femme quand ? Tu arrives encore à baiser, non ? Elle te trompe ? Si, moi, je crois, elle a raison, d'ailleurs, tu baises comme un fonctionnaire, non ? Tu lui fais prendre une douche avant ? Faut pas que ça sente la chatte, c'est ça ? Moi, je m'en repais de ces odeurs.

Cagney vit la main potelée, lourde de bagues, se frayer un chemin vers l'oreiller. Il n'écoutait plus les insultes du gnome, certain qu'elles n'avaient d'autre but que de le distraire.

Un sourire découvrit ses dents, il précisa :

— Vas-y, fais de moi un homme heureux, prends ton flingue.

La main retomba et Vlad leva sa masse.

Glover s'approcha de Cagney et lâcha d'un ton dépité :

— Vous n'auriez pas dû le prévenir. Je l'avais en joue et j'attendais. Je suis déçu.

BOSTON, MASSACHUSETTS, 19 MARS.

— Melly ? C'est Squirrel.

— Ah, j'attendais ton appel. Alors ? J'ai vu aux infos que vous aviez coffré tous ces mecs. Et les filles ?

— C'est en pourparlers. On se démène pour qu'elles obtiennent l'asile politique.

— Ils ne le donnent qu'au compte-gouttes.

— Oui, mais là, on a le soutien du FBI. Je voulais savoir si on pouvait, je sais pas, peut-être se faire une bouffe toutes les trois, un soir, parler d'humanité. De lumière. C'est une femme qui m'a dit ça. Elle était dans les choux, elle pissait le sang, elle venait de tuer un des mecs, légitime défense, et je l'accompagnais au Brigham and Women. Elle n'arrêtait pas de parler de lumière.

— Si tu veux, je peux te faire un cours. La lumière, c'est un état d'esprit. Je l'ai cherchée toute ma vie, et maintenant, je crois que j'en approche. Pourquoi pas à la maison, je fais très bien la cuisine, tu sais ? Il faudrait que ce soit un dimanche, Terry ne travaille pas.

— Volontiers.

— Je crois me souvenir que tu n'es pas végétarienne ?

— Non, pas encore, mais je me tâte. Le gros problème c'est que j'aime la viande.

— Ouais, comme nous. Tu m'as rendu un énorme service, Squirrel, tu sais. Tu m'as permis de me dire que ces trois dernières années avaient servi à quelque chose. Je n'oublie jamais le mauvais, mais je me souviens toujours du bon. J'ai pas de mérite, il n'y en a pas beaucoup, du bon, je veux dire. Si tu as besoin de moi, c'est quand tu veux, pour ce que tu veux.

— Ça marche, ma belle.

SAN FRANCISCO, CALIFORNIE, 22 MARS.

Sa main lui faisait encore un mal de chien. Elle pianotait de la gauche sur ses ordinateurs, accumulant les âneries et les coquilles.

Charlie avait mordu son pansement à trois reprises, s'imaginant qu'il s'agissait d'un nouveau jeu, bien plus amusant que celui du torchon.

Oui, il était mort, elle l'avait tué. Et alors ? C'était elle ou lui, un point c'est tout. Supprimer. Supprimer ces informations, elles n'avaient aucun intérêt pour la suite.

Elle travailla deux heures, s'interrompant à peine pour se masser les reins. Ce nouveau contrat n'avait rien de complexe, et elle le mènerait assez vite à son terme. Mais elle était si lente avec cette main invalide.

Elle descendit jouer un peu avec le chien et se servir un grand verre de chablis. Elle travaillerait encore une heure et irait rejoindre Clare que son départ avait perturbé. La jeune fille boudait avec application depuis son retour de Boston. D'abord elle s'était inquiétée du gros pansement qui protégeait la main droite de Gloria. Mais celle-ci l'avait rassurée :

— C'est une poupée, ma chérie.

Depuis, Clare enveloppait sa main ou sa cheville de torchons ou de serviettes de toilette et hurlait :

— Poupée, moi aussi poupée !

Gloria s'était angoissée, mais Jade lui avait affirmé qu'il s'agissait d'un caprice d'imitation sans gravité, qui passerait vite, lorsqu'elle n'aurait plus de pansement.

Elle remonta avec son verre et ouvrit sa messagerie électronique. Le message s'annonça. Hugues. Hugues de Barzan en personne, sans intermédiaire, franchissait la barrière de son ordinateur. Une sorte de crainte superstitieuse la fit hésiter. Quoi, elle avait fait tout ce qu'il suggérait ? Il avait eu raison, une fois de plus. Ses conclusions étaient exactes, même si elle avait eu si peur et si mal. Elle afficha le contenu du message :

« Je ne suis pas Dieu. L'espérer serait une sottise de votre part, et vous nous avez amplement gratifiés de vos conclusions erronées ces derniers jours. »

Sa main partit sans qu'elle s'en rende compte. Le verre explosa contre le mur qui lui faisait face. Elle éteignit l'ordinateur, cherchant autour d'elle ce qu'elle pourrait massacrer, dévaster. Sale type, sale type ! Des larmes de dépit lui brouillèrent la vue et elle fondit en sanglots.

TABLE DES MATIÈRES

Dans la même collection

Claude Amoz	Le caveau	5741
	Dans la tourbe	5854
William Bayer	Mort d'un magicien	6088
Philippe Bouin	Les croix de paille	6177
Laurent Botti	Pleine brume	5579
Philippe Bouin	Les croix de paille	6177
Serge Brussolo	Le livre du grand secret	5704
Philippe Carrese	Graine de courge	5494
Thomas H. Cook	Les instruments de la nuit	5553
Philippe Cousin	Le pape est dans une pièce noire, et il hurle	5764
Stephen Dobyns	Persécution	5940
	Sépulture	6359
Stella Duffy	Les effeuilleuses	5797
	Beneath the Blonde	5766
James Elliott	Une femme en danger	4904
Linda Fairstein	L'épreuve finale	5785
	Un cas désespéré	6013
Christopher Fowler	Psychoville	5902
Nicci French	Jeux de dupes	5578
	Mémoire piégée	5833
Lisa Gardner	Jusqu'à ce que la mort nous sépare	5742
	La fille cachée	6238
Andrea H. Japp	La voyageuse	5705
	Petits meurtres entre femmes	5986
Robert Harnum	La dernière sentinelle	6087
Yasmina Khadra	Le dingue au bistouri	5985
Andrew Klavan	À la trace	6116
Guillaume Lebeau	L'agonie des sphères	5957
Éric Legastelois	Putain de cargo!	5675
Philip Le Roy	Pour adultes seulement	5771
	Couverture dangereuse	6175
David L. Lindsey	Mercy	3123

Thriller ★ Noir ★ Policier

Philippe Lobjois	Putsch rebel club	5998
Colette Lovinger-Richard	Crimes et faux-semblants	6261
Jean-Pierre Maurel	Malaver s'en mêle	5875
Nigel McCrery	L'oiseau de nuit	5914
	Effets secondaires	6012
Estelle Monbrun	Meurtre chez tante Léonie	5484
	Meurtre à Petite Plaisance	5812
T. Jefferson Parker	Pacific Tempo	3261
	L'été de la peur	3712
Michael Prescott	L'arracheur de visages	6237
Robert Richardson	Victimes	6248
John Saul	La présence	5961
Jacques Sadoul	Carré de dames	5925
Walter Satterthwait	Miss Lizzie	6115
Laurent Scalese	L'ombre de Janus	6295
Whitley Strieber	Billy	3820
Dominique Sylvain	Travestis	5692
	Techno bobo	6114
Maud Tabachnik	Un été pourri	5483
	La mort quelque part	5691
	L'étoile du Temple	5874
	Le festin de l'araignée	5997
	Gémeaux	6148
Carlene Thompson	Tu es si jolie ce soir	5552
	Noir comme le souvenir	3404
	Rhapsodie en noir	5853
Fred Vargas	Debout les morts	5482
	Un peu plus loin sur la droite	5690
	Ceux qui vont mourir te saluent	5811
	Sans feu ni lieu	5996
	L'homme à l'envers	6277
	L'homme aux cercles bleus	6201

6361

Composition Chesteroc International Graphics
Achevé d'imprimer en Europe (France)
par Brodard et Taupin à La Flèche (Sarthe)
le 27 août 2002. 14139
Dépôt légal août 2002. ISBN 2-290-31999-6

Éditions J'ai lu
84, rue de Grenelle, 75007 Paris
Diffusion France et étranger : Flammarion